Rome et le Vatican

Edizioni Musei Vaticani - Ats Italia Editrice

ROMA
PER SACRAM B. PETRI SEDEM CAPVT ORBIS EFFECTA. S. LEO

HISTOIRE DE LA VILLE

Presque trois mille ans d'histoire sont gravés sur Rome, l'une des plus anciennes et des plus importantes ville au monde.
Une langue qui a dominé la culture pendant deux millénaires, est partie de Rome : le latin; le droit né à Rome a inspiré le droit dans tout l'Occident; l'art et les styles architecturaux romains ont servi de modèles pendant des siècles à des pays plus évolués. Dans toute l'histoire de l'Occident, aucune ville n'a jamais eu l'influence de Rome, tout d'abord comme centre de l'Empire romain puis comme siège de la chrétienté.
Et pourtant sa naissance reste encore plongée dans le mystère. Son nom lui-même est une énigme : vient-il de "stroma" qui signifie "ville du fleuve" ? Ou de "Ruma", un nom étrusque ? Ou encore du légendaire Romulus qui aurait fondé la ville avec son frère Rémus ? Une chose est certaine : Rome est née sur le Mont Palatin. C'était un petit village de pasteurs et de paysans. Elle entra dans l'histoire en 753 avant J.C., date à laquelle on attribut traditionnellement sa fondation. Au départ, elle fut gouvernée par sept rois : les Romains et les Sabins se mélangèrent, et la ville fut pendant quelques siècles placée sous la domination des voisins, les mystérieux Etrusques.
Ils furent chassés et en 509, et la république fut proclamée, avec à sa tête, deux consuls. Dans un premier temps, aristocratique, la Rome républicaine mit ensuite en pratique des formes sévères de démocratie, inventant en 494 la charge de Tribun de la plèbe (défenseur du peuple contre les abus des puissants). Son importance politique a grandi peu à peu. En 270, quasiment toute l'Italie était sous domination romaine, une domination qui ne tarda pas à s'étendre au-delà des confins de la péninsule, créant ainsi un immense empire. L'Empire Romain atteignit son apogée avec Auguste, puis une lente décadence s'amorça, pour de nombreuses raisons : des empereurs corrompus (Néron, Caligula, Claude), la naissance du christianisme, l'immensité de l'Empire et ses dépenses militaires excessives, la pression des peuples barbares aux frontières. En 313, Constantin reconnut que le christianisme était désormais vainqueur et Théodose (380) le proclama unique religion de l'Empire. Les barbares faisaient pression, d'abord avec Alaric puis Attila, qui mirent Rome à feu et à sang. Très vite, la ville ne fut plus qu'une ville secondaire de l'Empire byzantin d'Orient. Entre temps, la puissance de la papauté s'enracinait et grandissait. Le Pape s'était installé sur la chaire de Pierre et en avait fait le centre du christianisme dans le monde. En l'an 800, lorsque celui-ci couronna Charlemagne empereur du Sacré Empire Romain, la grandeur d'antan sembla refleurir. Mais ce ne fut qu'une illusion. Rome allait assister à une longue lutte entre la papauté et la noblesse féodale et surtout entre la papauté et l'empire (lutte pour les investitures) qui la placerait au centre de l'histoire, mais qui l'épuiserait. En 1309 le pape fut contraint à s'installer à Avignon où il resta jusqu'en 1377. Rome allait connaître deux siècles difficiles (jusqu'au sac impérial de la ville en 1527) mais la papauté continuait à grandir en puissance, et en splendeur d'art et de pensée. De grands pontifes tels Jules II et Léon X allaient créer la grande Rome de la Renaissance et plus tard la Rome baroque, qui se mit à fleurir de monuments et d'oeuvres d'art d'une rare splendeur grâce à des artistes comme Michel-Ange, Bramante, Raphaël et Cellini, puis – des constructeurs d'églises et de palais fastueux, également en réponse à la Réforme protestante – comme le Bernin et Borromini. La Rome baroque, avec ses décors, ses fontaines, ses jardins et ses palais, est une grande page de la splendide civilisation occidentale. Le temps s'accéléra, apportant des choses nouvelles. A la fin du dix-huitième, l'influence de la révolution française arriva jusqu'à Rome : Pie VI fut exilé en France et on créa une République romaine éphémère. Une brève Restauration s'engagea puis Napoléon supprima le pouvoir temporel de la papauté qui fut cependant rétabli avec Pie VII. Le Risorgimento se fit alors sentir, le Pape fut de nouveau contraint à fuir, puis la République du Triumvirat mazzinien fut proclamée. Le 20 septembre 1870, les troupes italiennes entrèrent dans Rome. Le pouvoir temporel des papes prit fin et la ville devint la nouvelle capitale de l'Italie. En 1929, au début du fascisme, les Accords du Latran mirent fin à une guerre d'un demi siècle entre la papauté et l'Etat italien. Le Pape redevint chef du christianisme universel et monarque du plus petit Etat du monde : la Cité du Vatican. Le régime fasciste de Mussolini tenta de redonner à Rome le faste de la grandeur romaine de l'antiquité, faisant démolir des bâtiments, construire des routes, des stades et des monuments. Puis vint la guerre et l'invasion de Rome par les allemands avec la résistance héroïque des romains, la fin de la monarchie et la naissance de la nouvelle République italienne. L'après-guerre a vu se succéder la croissance urbaine et démographique de Rome, l'activité du pouvoir politique et des partis et la promotion de Rome comme capitale du cinéma italien qui triompha dans le monde au cours des années de la "Dolce Vita".

FORUMS

Vue du Forum Romain

Le Forum Romain

Nous sommes au coeur de la Rome antique. Entre le Palatin, le Capitole et l'Esquilin, une fois les terrains marécageux asséchés, Rome construisit son Forum, le lieu où se déroulait toute l'activité politique, religieuse et commerciale d'une ville qui peu à peu allait conquérir tout l'occident. Il n'est pas très facile de se mouvoir parmi ces ruines plantées dans l'herbe, mais il suffit de faire un petit effort d'imagination et posséder un minimum de connaissances sur l'antiquité : ce sont alors dix siècles d'histoire (du VIe siècle avant J.C. jusqu'à l'ère byzantine) qui se mettent à nous parler à travers les monuments, de l'antique cippe de Lapis niger (Pierre Noire) à la Colonne de Phocas – dernier monument qui conclut l'histoire du Forum – construite en 608, en l'honneur de l'empereur byzantin Phocas, lorsque Rome avait désormais perdu sa splendeur. Nous voici devant les Rostres.

C'est de là que les orateurs parlaient au peuple romain qui devait élire les magistrats. La Curie, qui était le siège du Sénat et le plus grand centre politique de la Rome antique, se situe à quelques mètres de là. Elle semble avoir été construite, la première fois, par Tullus Hostilius. En 52 avant J.C. elle fut refaite, mais en 29 avant J.C., Auguste inaugura une nouvelle Curie. Celle que nous voyons aujourd'hui est la dernière reconstruction réalisée sous Dioclétien en 303 après J.C. L'intérieur est grandiose, même si l'actuel plafond en bois est moderne. Trois cents places assises pour les sénateurs étaient prévues. Ce que l'on a appelé les Bas-reliefs de Trajan, deux parapets en marbre qui décoraient probablement les Rostres et qui illustrent les mérites de l'empereur Trajan, sont exposés dans la Curie. Ils montrent

Maison des Vestales

également comment était disposé le Forum à l'époque. Si la Curie était le plus grand centre politique, la Basilique était le lieu où était administrée la justice. Elle était constituée d'une grande salle rectangulaire avec un portique sur le côté. L'une des plus anciennes dont on conserve encore les restes est la Basilique Emilienne, fondée en 179 avant J.C. par le censeur Emilio Lepido. Elle donne sur la Voie Sacrée. Elle était très richement décorée mais fut dévastée par les barbares au Moyen Age. Les fouilles ont mis à jour une frise de marbre très intéressante pour comprendre les origines de Rome. La Basilique Julienne, construite par César, est elle aussi presque complètement détruite. La dernière basilique, celle de Maxence, fut construite avec trois nefs et était soutenue non plus par des colonnades mais par de

11

Temple de Saturne

Temple de Vesta   Temple d'Antoine et Faustine ▷

gigantesques murs. Après la Curie et la basilique, l'édifice le plus important du Forum était le temple. Nous voici maintenant devant les vestiges du Temple de Vesta qui remontent au deuxième siècle. Ils sont entièrement en briques, comme la maison des Vestales, tout proche de là, un édifice à deux étages construit autour d'un atrium rectangulaire. Le feu sacré, symbole de l'Etat, et qui ne devait jamais s'éteindre, était conservé dans le temple qui avait gardé sa forme arrondie d'origine. Toujours dans le Forum, on trouve les restes du Temple des Dioscures, les mythiques frères Castor et Pollux, vainqueurs des Etrusques et des Latins. Le temple fut érigé en 484 avant J.C., et reconstruit en 117 avant J.C., mais les trois uniques colonnes encore visibles appartiennent à une reconstruction réalisée plus tard, à l'époque de Tibère. Le Temple de Saturne compte parmi les temples les plus anciens de Rome, plus ancien que les temples des rois mythiques. Il fut construit sur une base élevée, sur le flanc de la colline du Capitole. Il était destiné à abriter le trésor public de la ville. Un peu plus loin, on découvre les vestiges d'un portique à colonnes, ramené au grand jour il y a un siècle, le Portique des dieux Conseillers. Il était probablement dédié aux douze plus importantes divinités de l'Olympe dont il abritait les statues dorées, et était par conséquent considéré comme la version romaine du panthéon grec. Nous arrivons ensuite au Temple de la Concorde, monument important érigé en 367 avant J.C. par Furio Camillo pour célébrer la fin des conflits entre patriciens et plébéiens, à Rome. Aujourd'hui on peut encore voir le podium qui fut restauré plusieurs fois. Lorsque César fut assassiné, une colonne fut érigée dans le Forum, à l'endroit même où sont corps fut incinéré, et en 29 avant J.C., Auguste y fit ériger un temple qu'il dédia à César, inaugurant ainsi le premier cas de divinisation d'un empereur après sa mort. Il reste aujourd'hui quelques vestiges du podium et de la tribune située en face. Le Temple d'Antonin et Faustine fut dédié en 141 par l'Empereur Antonin le Pieux à sa propre femme et lorsque lui-même mourut, on décida de lui consacrer également le temple. C'est l'un des temples les mieux conservés grâce au fait qu'il fut transformé en église (aujourd'hui l'église San Lorenzo in Miranda). Elevé sur un haut podium, il possède une façade splendide avec un grand escalier et des colonnes de marbre. La magnifique frise de griffons, de candélabres et de volutes, qui a été conservée, est un chef-d'oeuvre. La porte de bronze conservée dans le Temple de Romulus, érigé sur la Voie Sacrée par Maxence en l'honneur de son fils mort en 309, est originale. C'est le premier édifice romain de cette forme : un temple circulaire flanqué de deux longues cellas à abside. Au IVe siècle, le Pape Félix IV l'adapta comme atrium de l'église des Saints-Cosme-et-Damien. Du Forum Romain passons aux forums construits plus tard, pendant l'ère des empereurs (d'où le nom de Forums Impériaux).

LE COLISÉE

POUR LA GLOIRE DE L'EMPEREUR ET LE PLAISIR DU PEUPLE

Le plus beau et le plus majestueux amphithéâtre de toute la romanité, communément appelé le Colisée, mais dont le vrai nom est Amphithéâtre Flavien, fut construit à la demande de Vespasien, en 72 après J.C. Inauguré par un sacrifice de 5.000 animaux, il abrita pendant des siècles – au moins jusqu'en 523, sous Théodoric – des spectacles de fauves et des combats de gladiateurs. On ne possède aucun document prouvant que des chrétiens aient été martyrisés au Colisée, mais l'amphithéâtre fut plus tard consacré aux martyrs chrétiens, ce qui le sauva de la destruction, même si une grande quantité de pierres de sa façade furent utilisées pour la construction de la Basilique Saint-Pierre. C'est une magnifique oeuvre d'ingénierie. Le grand axe de l'ellipse du Colisée mesure 188 mètres, et le petit, 150. La façade, 48,5 mètres. Quatre-vingts arcs d'entrée permettaient à 55.000 spectateurs d'entrer dans le Colisée. Les murs extérieurs, recouverts de travertin, sont rythmés par trois rangées de colonnes doriques (à l'étage inférieur), ioniques et corinthiennes. Un énorme voile, appelé "velum", protégeait les spectateurs, en haut de l'édifice. Il était attaché avec des câbles accrochés à des bittes constituées par des pilastres fixés à l'extérieur de l'amphithéâtre. Des éléphants, les lions, des hippopotames, mais surtout des hommes, les gladiateurs (choisis parmi les esclaves, les prisonniers ou les criminels), ont combattu et sont morts pour le plaisir abject du peuple. C'est comme si un écho de tant de massacres s'élevait aujourd'hui au milieu de ces ruines grandioses.

Forum de César

Les Forums Impériaux

Lorsque le Forum Romain commença à devenir exigu à cause de l'augmentation de la population de Rome, d'autres Forum appelés Forums "impériaux" en raison de l'époque à laquelle ils furent construits, virent le jour. Beaucoup de ces Forums étaient complètement en ruine lorsqu'ils furent découverts, car au Moyen Age on ne leur attribuait pas plus de valeur qu'à des caves de pierre que les gens n'hésitèrent donc pas à piller. Lorsque l'on va de la Place de Venise vers le Colisée, le long de la Voie des Forums Impériaux (voir le chapitre sur Rome et le Fascisme), on peut tenter de reconstituer la Rome du temps d'Auguste et d'après, à partir des ruines étonnantes qui ont été conservées.

Le dernier Forum construit, le plus somptueux, fut le Forum de Trajan. Il fut construit pour célébrer la victoire sur les Daces. Il mesurait 300 mètres de long et 185 mètres de large. Il fut réalisé par Apollodore de Damas. On y fit construire la Basilique Ulpia. Il reste aujourd'hui les quatre rangées de colonnes de la partie centrale. Le Forum abritait également la célèbre Colonne Trajane qui se dressait entre les deux Bibliothèques. Le Temple du Divin Trajan se situait à proximité. On peut visiter les Marchés de Trajan : un large exèdre à deux étages en forme d'hémicycle avec de nombreuses boutiques, y compris sur les terrasses qui le surplombaient. C'est le plus ancien centre commercial de Rome qui ait été conservé. Un peu plus loin on découvre celui qui fut le premier des Forums Impériaux, le Forum de César, annoncé par la statue

Forum de Trajan

de bronze du dictateur. Il fut inauguré en 46 avant J.C. César y avait fait dresser le Temple de Vénus Génitrix dont il reste trois colonnes qui ont été redressées et placées sur un haut soubassement. Le Forum de César fut construit à une époque où l'ancien Forum Romain ne suffisait plus pour accueillir la population romaine, et à l'occasion de la victoire de César dans la bataille de Pharsale. Sur le côté opposé de la Voie des Forums Impériaux s'élève le Forum d'Auguste, érigé en 42 avant J.C. pour commémorer la bataille de Philippes. Auguste y fit construire un temple à Mars Ultor (Vengeur), dont il reste le podium, quelques colonnes et des parties d'arcades et d'exèdres. Au Moyen Age se dressait ici la Maison des Chevaliers de Rhodes dont la terrasse surplombe les Forums Impériaux. Après le Forum d'Auguste vient celui de Nerva, dont il reste deux belles colonnes ornées d'une élégante frise dédiée aux travaux féminins : c'est tout ce qu'il reste du Temple de Minerve. Un peu plus loin, il y a encore d'autres restes : ceux du Forum de Vespasien. Le visiteur, qui aura pu également visiter les Musées du Forum dans un couvent voisin, découvrira devant lui, sur la gauche, une basilique grandiose, la Basilique de Maxence, grand édifice du IVe après J.C. Une seule nef – sur les trois nefs d'origine – a été conservée. Ses voûtes ont une hauteur de 25 mètres. Les plus hautes, qui se sont écroulées, s'élevaient jusqu'à une hauteur de 53 mètres. Elle fut construite à la demande de Maxence mais c'est Constantin qui l'acheva. L'été, la Basilique abrite des grands spectacles musicaux. Nous voici au terme de notre voyage dans la Rome impériale antique.

LA COLONNE TRAJANE

COMME DANS UN FILM, LES GLOIRES DE LA ROME ANTIQUE

Il s'agit peut-être du chef-d'oeuvre le plus singulier de la civilisation romaine antique : un récit qui se déroule à travers des photogrammes (devançant le cinématographe) qui montent en spirale, effectuant 23 tours le long du fût de la colonne. On les lit de bas en haut et de gauche à droite. La Colonne trajane, qui fut jadis polychrome, est composée de 17 blocs de marbre Luni et s'élève sur 40 mètres. Elle fut construite en 113 après J.C. à la demande de l'Empereur Trajan, pour célébrer ses campagnes contre les Daces. Quarante cinq fentes minuscules éclairent l'intérieur de la colonne où fut construit un escalier en colimaçon, auquel le public n'a pas accès. La statue de Trajan fut placée au sommet de la colonne, mais le Pape Sixte V la fit remplacer par celle de Saint Pierre en 1587.

ARCS DE TRIOMPHE DE CONSTANTIN, SEPTIME-SÉVÈRE ET TITUS
QUAND L'EMPEREUR CELEBRAIT SES TRIOMPHES

L'arc, qui manifeste le triomphe et la célébration d'une victoire, est l'un des dons que la Rome antique a fait à l'architecture. Ils sont nombreux à Rome.

Arc de Constantin et Colisée

Le plus majestueux, le mieux conservé et le plus tardif, est l'Arc de Constantin, situé près du Colisée, inauguré en 315 pour célébrer la victoire de l'empereur contre Maxence.
Mais la profonde conversion de l'empereur au christianisme n'apparaît guère. La présence de l'empereur Marc-Aurèle, combattant et philosophe, dans les reliefs de l'Arc, est plus marquée que celle de Constantin lui-même, car les artistes de la fin de l'antiquité romaine, au style expressionniste dur, eurent recours à un curieux système : ils réutilisèrent des décorations et des statues prélevées sur des monuments plus anciens, y compris des sculptures qui célébraient la victoire

Arc de Septime-Sévère

de Trajan sur les Daces, pour construire l'Arc. Celui-ci est décoré sur la face nord et sur la face sud. Il fut orné de sept médaillons, de deux mètres de diamètre, prélevés eux aussi sur un Arc qui existait déjà, l'Arc d'Hadrien et des statues de huit prisonniers daces prises au Forum de Trajan.

L'Arc de Septime-Sévère empereur se trouve dans le Forum Romain. Il fut érigé en 203 après J.C. Il est également dédié à ses

Arc de Titus

fils Caracalla et Geta (mais le nom de ce dernier fut effacé après que Cacaralla l'eût fait tuer). Plus sobre mais plus élégant, l'Arc de Titus dont les magnifiques bas-reliefs internes représentent un événement tragique : les légionnaires romains qui emportent les insignes de Jérusalem vaincue, dont le temple sacré avec l'autel et le chandelier d'or à sept branches. L'Arc fut érigé en 81 après J.C.

RUES ET PLACES CÉLÈBRES

Un itinéraire conduisant aux lieux les plus célèbres de Rome ne peut que partir du solennel Capitole, la colline qui constituait l'acropole (point central à la fois religieux et politique) de la Rome antique.

Après les siècles sombres des barbares, le Capitole fut, au Moyen Age, le siège d'une prison.
Puis, grâce au Pape Paul III, la Place du Capitole fut confiée en 1536 au génie de Michel-Ange qui la dessina. A la mort de l'artiste, la construction de la Place fut poursuivie par Giacomo della Porta et Girolamo

Le Capitole, place dessinée par Michel-Ange avec la copie de Marc-Aurèle

Rainaldi : les trois bâtiments qui délimitent la Place, le Palais Sénatorial, le Nouveau Palais et le Palais des Conservateurs, offrent une harmonie symétrique, grâce à leurs façades mais aussi aux balustrades ornées de statues placées au-dessus des corniches. La rigueur suggestive de la Place (l'une des solutions spatiales les plus limpides de la Renaissance), fut longtemps scandée par la grande statue équestre de Marc-Aurèle. Après une longue restauration, l'original fut placé dans le Musée Capitolin, tout proche, mais une copie l'a remplacé en 1997, pour ne pas priver la place d'un point de référence fondamental.

Place d'Espagne et la Trinité des Monts

Une église, un escalier, une fontaine... nous sommes ici devant la plus élégante et la plus complexe réalisation urbanistique romaine du XVIIIe siècle. L'église de la Trinité des Monts fut commencée en 1502 et consacrée quatre-vingts ans plus tard, à la demande des souverains français qui la dédièrent à un saint qui leur était cher : Saint François de Paule. L'église,

avec un escalier à rampe double et deux clochers jumeaux, abrite de nombreuses chapelles de familles romaines nobles. Au début du XVIIe siècle, Pietro Bernini, père du célèbre Gian Lorenzo, conçut une fontaine insolite en forme de barque pour le Pape Urbain VIII. Un siècle plus tard, la troisième merveille, qui viendra faire le lien entre les deux précédentes, voit le jour: l'Escalier de la Trinité des Monts, splendide réalisation baroque, constitué d'une succession de rampes de douze marches chacune (138 en tout), oeuvre que l'architecte Francesco de Santis exécuta en 1723-1726.

Piazza del Popolo

Deux églises "jumelles", un obélisque : nous voici Piazza del Popolo, sommet de ce que l'on a surnommé le "trident" car c'est de là que partent trois rues, longues et droites : la Via del Babuino, peuplée d'antiquaires, qui conduit à la Place d'Espagne (flanquée de la Via Margutta, célèbre rue des peintres); la via di Ripetta et une rue très centrale, où la circulation est dense, la Via del Corso (Stendhal l'avait qualifiée de "plus belle du monde"). Traversant la Porta del Popolo, avec son arc de triomphe ouvert dans les Mura Aureliane, le visiteur a l'impression, en entrant sur la Piazza del Popolo, de se trouver au seuil de l'entrée la plus spectaculaire de Rome. La Place a été construite

progressivement au fil des siècles. Le Pape Sixte V fit ériger l'obélisque au centre, en 1589. Un siècle plus tard, un autre pape, Alexandre VII, chargea Rainaldi de construire les deux églises jumelles et symétriques, Santa Maria di Montesanto et Santa Maria dei Miracoli. Etant donné que l'espace dans lequel devait s'insérer la première était plus étroit, Rainaldi fit construire une coupole ovale pour cette dernière. Pour Santa Maria dei Miracoli, il fit construire une coupole circulaire, mais vues de la Place, les deux églises semblent parfaitement identiques. Ce n'est qu'au XIXe siècle que la Piazza del Popolo adopta la forme elliptique grandiose que nous connaissons, grâce à l'oeuvre d'un architecte plein de génie : Giuseppe Valadier, qui créa également les splendides jardins du Pincio (légèrement surélevés par rapport à la place).

Piazza Navona

La Piazza Navona est un véritable bijou de la Rome baroque. "Navona" vient peut-être de "agone" (nagone, navone) qui signifie "compétition, jeu", faisant référence aux batailles navales qui avaient lieu sur la place, qui, à une certaine époque avait le fond creux, et que l'on inondait artificiellement pour de tels spectacles. Sa forme, très belle, reprend celle de l'antique stade de Domitien sur les ruines duquel elle fut construite. La Piazza Navona est aussi le lieu où se rencontrent les deux plus grands génies du baroque : Gian Lorenzo Bernini, auteur de la monumentale Fontaine des Fleuves (Gange, Nil, Danube et Rio de la Plata) et Francesco Borromini qui construisit l'église Sainte Agnès in Agone. Sa forme concave allongée lui donne un air fascinant. A l'intérieur, une innovation du XVIIe : sur les autels, une série de bas-reliefs en marbre remplace les peintures). Outre les deux fontaines qui couronnent la fontaine principale, celle de Neptune et celle du Maure, de splendides palais complètent la place : le Palais Pamphili, exécuté par l'architecte romain Girolamo Rainaldi, pour

la famille Pamphilj, propriétaire de toute la place, et, dans un coin, le Palais Braschi, construit à la fin du XVIIIe siècle par Cosimo Morelli. L'édifice le plus ancien de la place est l'église de Notre Dame du Sacré Coeur, qui se trouve en face du Palais Pamphilj, belle oeuvre du XVe siècle qui abrite des trésors comme la "cantoria" et la Chapelle de Saint Jérôme, chef-d'oeuvre d'Antonio da Sangallo le Jeune. Celui qui visite la Piazza Navona ne doit pas oublier que des chefs-d'oeuvre fondamentaux de la peinture italienne se trouvent tout près de là, dans l'église Saint Louis des Français. Il s'agit des grandes toiles de Caravage, un sommet de la peinture après Michel-Ange. Trois grandes toiles, réalisées à la fin du XVIe siècle, y sont exposées : La vocation de Saint Matthieu, le Martyre de Saint Matthieu et Saint Matthieu et l'Ange. Un réalisme nouveau et troublant et une utilisation explosive de la lumière transparaissent dans ces trois tableaux. Ceux qui avaient commandé l'oeuvre estimèrent que cette utilisation de la lumière était tellement innovatrice qu'elle ne pouvait être acceptée en tant qu'oeuvre d'église, Matthieu y apparaissant sous les traits d'un vieux fatigué et aux pieds sales.

Place de la Minerve, Petit éléphant du Bernin

LES OBÉLISQUES

SYMBOLES DU SOLEIL ET DE L'IMMORTALITE

Rome est la ville possédant la plus grande quantité d'obélisques au monde. Beaucoup d'entre eux sont d'origine égyptienne. Ces énormes monolithes, nus ou garnis de hiéroglyphes, désignent des points de convergence de l'espace, au centre de grandes places, mais ils symbolisent également le soleil et l'immortalité. Il y en a treize à Rome. Le plus ancien et le plus haut (31 mètres), en granit rose, est peut–être l'Obélisque de la Place de Saint-Jean-de-Latran, qui remonte au XVe siècle avant J.C., apporté à Rome en 357, redécouvert et arrangé en 1587 par le Pape Sixte V, grand amateur d'obélisques. C'est également à lui que l'on doit l'installation du plus célèbre obélisque romain : celui de la Place Saint-Pierre. Le monolithe du Vatican, en granit rose, mesure 25,31 mètres et ne porte aucune inscription. C'est l'empereur Caligula qui le fit apporter à Rome, mais

Piazza del Popolo, Obélisque Flaminio

c'est le Pape qui demanda, en 1587, de le placer devant la Basilique. On raconte que l'opération de transport fut complexe et demanda des centaines de chevaux et d'ouvriers. Un an plus tard, Sixte V lui-même fit installer l'Obélisque de l'Esquilin (14,75 mètres), également sans hiéroglyphes. Le quatrième obélisque de Sixte V est l'Obélisque splendide qui fut installé sur la célèbre Piazza del Popolo. Il mesure presque 24 mètres et porte des hiéroglyphes de 1200 avant J.C. Il fut transféré à Rome au temps d'Auguste pour célébrer la victoire sur l'Egypte.

Puis ce fut le tour du Bernin qui érigea deux autres obélisques : celui de la Piazza Navona (presque 17 mètres, garnis de hiéroglyphes) et celui de la Minerve, 5,47 mètres, surmonté d'un petit éléphant conçu par le Bernin lui-même. Devant le Panthéon se dresse en revanche un obélisque, dit "Macuteo", mesurant un peu plus de six mètres de haut, remontant à Ramsès II. L'obélisque du Quirinal fut installé en 1786. Il est de granit rose et mesure 16,63 mètres. L'obélisque de la Trinité des Monts est de la même époque.

◁ Le Panthéon, façade   Intérieur

Le Panthéon

Érigé quelques années avant J.C par Marc Agrippa, en l'honneur d'Auguste, mais refait avec sa forme actuelle sous Hadrien (120 après J.C. environ), le Panthéon est le chef-d'œuvre le plus complexe et le plus intact qui nous soit parvenu de l'antiquité romaine; intact car, en 608, il fut transformé en église dédiée à la Vierge et les papes assurèrent sa protection; complexe car il associe un mélange de formes géométriques diverses (carré, sphère, cylindre), et parce qu'il fusionne deux structures architectoniques; la structure typique des temples et l'architecture ronde, caractéristique des thermes. Une rotonde, avec une énorme épaisseur cylindrique de six mètres, soutient la coupole aux proportions splendides : le diamètre est égal à la hauteur (43,30 mètres). C'est la plus grande voûte réalisée en maçonnerie, plus grande encore que celle de Saint Pierre. Au sommet de la coupole, une ouverture de 9 mètres sur le ciel constitue la seule source de lumière pour le temple, presque un cadran solaire. A l'intérieur, on découvre une niche centrale en marbre mauve flanquée de six petites niches enrichies de marbres dont les jeux polychromes donnent au temple une beauté irrésistible et fascinante. De nombreux artistes y ont été ensevelis : Perin del Vaga, Annibal Carrache, Taddeo Zuccari et surtout Raphaël Sanzio. Le Panthéon abrite également quelques tombes des Savoie, celle du roi Victor-Emmanuel II et celle du roi Humbert I.

Via Condotti. Au fond, l'escalier de la Trinité des Monts

Via Condotti et Via Veneto

Deux noms qui résonnent dans le monde comme les synonymes d'élégance et de mondanité internationale.
La Via Condotti, qui se trouve au coeur d'un réseau de rues non moins célèbres (Via Borgognona, Via Mario dei Fiori, Via Bocca di Leone), offre une panoplie de magasins raffinés. C'est dans la Via Condotti que se trouvent les ateliers de Ferragamo, de Hermes, de Gucci, de Valentino, de Versace et il est très agréable de s'y promener, surtout en fin d'après-midi, le moment où elle est le plus animée. Il est de rigueur de s'arrêter au Café Greco, le plus ancien et le plus célèbre de Rome. Fondé par un Grec en 1760, il fut au XIXe siècle le rendez-vous d'artistes comme Goethe, Stendhal, Byron, Wagner, Berlioz.

Via Veneto

Il y règne encore aujourd'hui la même atmosphère, surtout dans la délicieuse petite salle située à l'arrière. La Via Vittorio Veneto, longue et sinueuse à partir de la Porte Pinciana, est connue dans le monde entier sous le simple nom de "Via Veneto". Bordée d'ambassades (l'ambassade américaine), d'hôtels de luxe, de cafés célèbres (café de Paris), elle fut dans les années soixante – notamment grâce au film de Fellini "la dolce vita" qui la rendit célèbre dans le monde entier – lieu de rendez-vous le plus prestigieux des amateurs de vie nocturne et de plaisirs mondains, romains et étrangers. Elle a perdu une bonne partie de son éclat aujourd'hui mais il est agréable de s'y promener, en s'arrêtant par exemple dans un lieu caché où l'atmosphère est radicalement différente : l'église Sainte-Marie-de-la-Conception, des frères capucins. Un spectaculaire ossuaire avec une centaine de squelettes est conservé dans la crypte.

LES FONTAINES DE ROME

L'EAU EGAIE LES PLACES ET JARDINS

Sous le ciel et au milieu des marbres, l'eau est un motif esthétique et musical qui donne à la ville une touche de finesse et la rend plus solennelle. A côté des fontaines plus monumentales il y a les fontaines secrètes dans les cours, et celles

Fontaine de Trevi

que l'on découvre à l'angle des rues, avec, surtout dans le Trastevere, l'eau qui sort d'une bouche de lion ou d'un grand masque. Dans l'antiquité, Rome possédait, semble-t-il, 212 fontaines; la Rome moderne doit la plupart de ses fontaines au goût baroque, qui identifie dans le mouvement, y compris celui de l'eau, le sens même de la vie. Après la fontaine de la Piazza Navona (décrite en même temps que la place), la plus majestueuse est la Fontaine de Trevi avec l'Océan au centre. Le char, en forme de coquille, est traîné par des chevaux marins guidés par des Tritons. Cette oeuvre fut réalisée par Nicola Salvi, vers la moitié du XVIIIe siècle, à l'endroit où se terminait l'antique aqueduc de l'Acqua Virgo. La fontaine, rendue

Place d'Espagne, Fontaine de la Barcaccia

Piazza Mattei, Fontaine des Tortues

Piazza Barberini, Fontaine du Triton

célèbre par la scène du film "la dolce vita", dans laquelle Anita Ekberg se jette dans la fontaine, est liée à une légende selon laquelle celui qui jette une pièce de monnaie dans l'eau, en tournant le dos à la fontaine, reviendra à Rome. Une autre fontaine célèbre : celle qui se trouve au pied de l'escalier de la Trinité des Monts. Elle est appelée Fontaine de la Barcaccia car elle rappelle, par sa forme, une barque qui semble faire naufrage.
Le pape Urbain VIII en fut le promoteur, au tout début du XVIIe siècle, et Pietro Bernini ou peut-être le fils Gian Lorenzo,

Piazza della Repubblica, Fontaine des Naïades

l'auteur. Parmi les plus élégantes, on note la Fontaine des Tortues, Piazza Mattei, construite à la fin du XVIe siècle à partir d'un projet de Giacomo Della Porta. Les tortues furent rajoutées un siècle plus tard. A visiter également, la Fontaine du Triton, Piazza Barberini, réalisée par le Bernin pour le Pape Urbain VIII à la moitié du XVIIe. L'eau tombe sur deux tritons qui tiennent une coquille. A ne pas négliger non plus, les fontaines de la Piazza del Popolo, les deux fontaines semblables de la Place Saint-Pierre et celle des Naïade, Piazza della Repubblica. Ceci n'est bien sûr pas une liste exhaustive des fontaines.

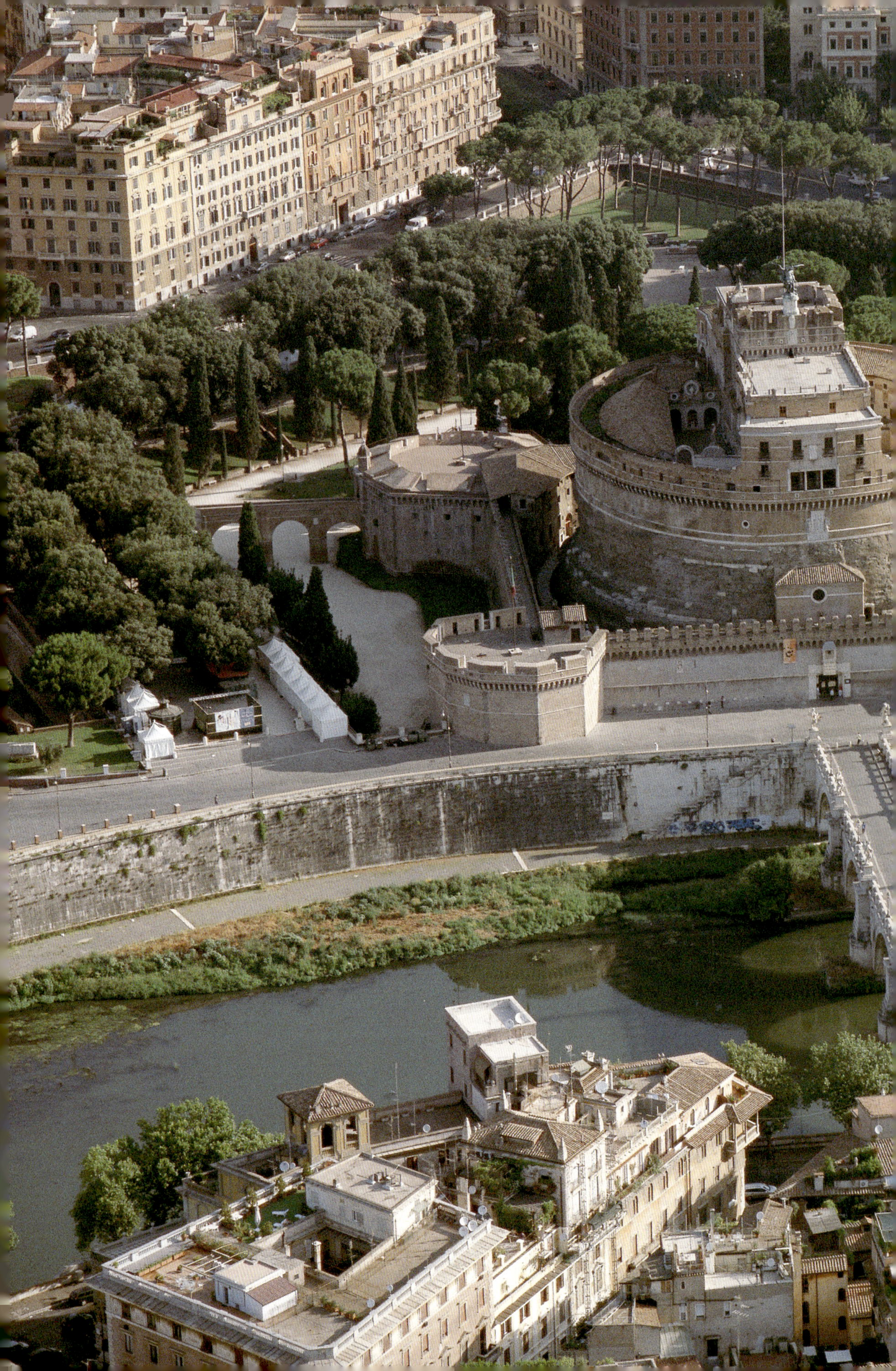

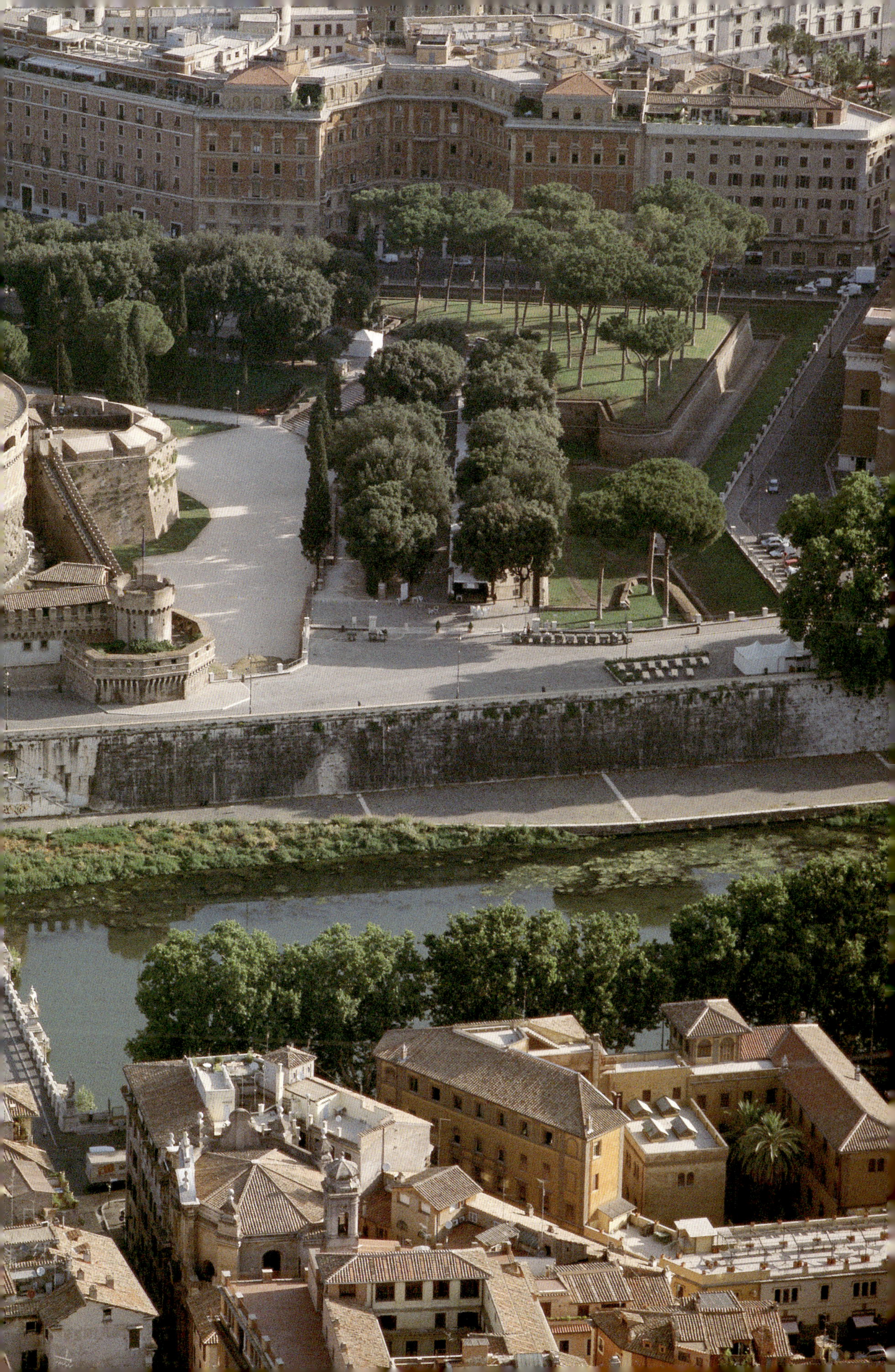

LES PONTS SUR LE TIBRE ET LE CHÂTEAU SAINT-ANGE

Une partie des nombreux ponts qui traversent le fleuve sont ceux que les romains construisirent dans l'antiquité. Le plus petit est le pont piétonnier Fabricius (62 avant J.C.), encore utilisé, qui relie l'Ile du Tibre (Isola Tiberina) à la ville. Le Pont Cestius, restauré par les Byzantins en 370 après J.C. relie l'Ile au trastevere. Le spectacle des ruines du Pont Aemilius – il n'en reste qu'une seule arcade –, premier pont construit en pierre, au IIe siècle avant J.C., surnommé

Pont Saint-Ange et Château Saint-Ange

aujourd'hui le "Ponte rotto", est un spectacle suggestif. Le Pont Milvius, situé à l'est, là où Constantin battit Maxence en 312, est également célèbre. Le Ponte Sisto, construit en 1473, élargi au XIXe et aujourd'hui fermé à la circulation automobile, et le splendide Pont Saint-Ange qui relie le château du même nom au Champ de Mars, sont des ponts que l'on pourrait appeler "modernes". Construit au IIe siècle après J.C., le Pont Saint-Ange exhibe, depuis 1530, les statues de Saint Pierre (de Lorenzetto) et de Saint Paul (de Paolo Taccone). Vers la moitié du XVIIe siècle, le Pape Clément IX fit également ériger dix statues dessinées par le Bernin et exécutées par ses élèves. Le Château Saint-Ange est

Ponte Milvio

une sépulture grandiose voulue par l'empereur Hadrien pour lui-même, et achevée en 130 après J.C. A l'origine, une statue de l'empereur s'élançait à son sommet. Elle a été remplacée par un ange. On accède au Château en traversant la Cour du Sauveur qui se prolonge par la Cour de l'Ange où sont entassées des munitions en pierre. La double rangée de fenêtres situées au fond, est une oeuvre de Michel-Ange. Les différents escaliers du Château qui

Pont Saint-Ange

conduisent au troisième étage, dans la Cour d'Alexandre VI, embellie par un puits ravissant, sont remarquables. On arrive ensuite à la Salle de bain de Clément VII, décorée par Giovanni da Udine. A visiter également, les prisons historiques, surnommées Bouche de l'Enfer, où furent enfermés des hommes célèbres comme Cellini, Giordano Bruno et Cagliostro. Pour terminer, on peut visiter la Salle du Trésor et la belle bibliothèque.

L'ÎLE DU TIBERINA

Situé entre le Corso Vittorio Emanuele et le Tibre, le Campo dei Fiori est un lieu plus populaire et allègre. Si son passé – comme le rappelle la statue de Giordano Bruno – n'a rien de joyeux car des exécutions capitales eurent lieu à cet endroit (et le philosophe Bruno y fut brûlé sur un bûcher), le Campo dei Fiori est on ne peu plus gai, grâce notamment au marché très animé qui a lieu chaque

jour. Aux alentours, il y a également beaucoup de choses à voir : le vieux Ghetto juif, l'Ile du Tibre, en forme de navire, qui fut dédiée par les romains au dieu de la médecine, Esculape.
Aujourd'hui, l'hôpital Saint-Jean-de-Dieu y est installé.

Elle est reliée à la ville par trois ponts, dont le Pont Fabricius, encore intact, et le Ponte Rotto dont il ne reste en revanche qu'une seule arcade, du XVIe siècle, et les magnifiques palais situés non loin de là, le Palais Farnèse et le Palazzo Spada.

LES MUSÉES

Rome est la ville des musées par excellence et la quantité de patrimoine artistique qui y est rassemblée est unique au monde. Les plus importants musées de la capitale sont dédiés, comme nous allons le voir, avant tout à l'antiquité classique. Les pièces de ces musées n'ont pas d'égales, aussi bien sur le plan de la quantité que sur le plan de la qualité artistique.

Caravage, San Giovannino

Les Musées Capitolins

Ils représentent la collection publique romaine la plus ancienne. Situés sur la place du Capitole, ils furent fondés en 1471 par le Pape Sixte IV. Le Musée des Conservateurs en fait partie (sculptures grecques et romaines). Parmi les pièces les plus remarquables : une statue d'*Apollon archer*, une statue d'*Athéna*, toutes deux du Ve siècle avant J.C. La Vénus de l'Esquilin, extraordinaire, est du Ier siècle avant J.C. L'énorme *Tête de Constantin*, en bronze, qui anticipe les 65 bustes d'empereurs romains dont ceux d'Auguste, de Néron, de Trajan, de Marc-Aurèle et de Caracalla, est fascinante. Dans la Salle des Conservateurs, on peut admirer la célèbre *Louve du Capitole*, symbole de Rome, oeuvre en bronze du Ve siècle avant J.C., attribuée à l'école de *Vulca di Veio*, qui décora le *Jupiter Capitolin*. Les deux jumeaux qui se trouvent en dessous de la louve sont, comme nous le savons, un ajout du XVe d'Antonio del Pollaoiolo. Dans le Musée capitolin, le *Galate mourant*, reproduction en marbre d'un bronze de Pergame du IIIe siècle avant J.C., est considéré comme étant

Caravage, la Diseuse de Bonne Aventure

l'une des plus belles sculptures de l'antiquité. Elle représente un guerrier agonisant. Elle fut retrouvée dans les Jardins de Salluste au XVIe siècle. Parmi les chefs-d'oeuvre indéniables, il faut aussi noter la *Vénus du Capitole*, réplique romaine d'un original grec. Dans la Pinacothèque sont en revanche conservées des peintures du XVIe et du XVIIe siècle, de Titien, de Lotto, un Rubens (*Romulus et Remus* allaités par la louve), un splendide *Portrait d'Homme* de Vélasquez ainsi que le *Giovannino* et la Diseuse de bonne.... et la *Diseuse de bonne aventure* de Caravage.

Musée National Romain, entrée

Musée National Romain

Il est situé dans un ancien couvent, près des antiques Thermes de Dioclétien. Il contient une énorme quantité d'oeuvres romaines, parmi les plus importantes qui soient, provenant de fouilles effectuées dans la ville elle-même et dans les alentours. L'oeuvre la plus remarquable est peut-être le très célèbre Trône Ludovisi, qui remonte au Ve siècle avant J.C. Les experts et les archéologues ont ouvert un grand débat sur son authenticité et sur ses reproductions. L'*Apollon du Tibre*, réplique d'un original grec antique, peut-être de Phidias, est également exceptionnel. La statue du *Pugiliste au repos*, bronze original de l'époque hellénistique, est splendide et d'une vigueur expressive exceptionnelle. La *Niobide des jardins de Salluste*, l'un des premiers exemples de nus féminin, réplique d'une oeuvre grecque du Ve siècle avant J.C., est également très belle. Mais le chef-d'oeuvre peut-être le plus éloquent et le plus saisissant, est la statue hellénistique de la *Jeune fille* d'Anzio, retrouvée au siècle dernier, dans une niche, à Anzio.

Musée National de la Villa Giulia, Sarcophage des époux

Musée National de la Villa Giulia

Installé dans une superbe villa du XVIe siècle construite par Vignola pour le Pape Jules III, ce musée fut fondé à la fin du XIXe. Il rassemble des pièces archéologiques de l'époque pré-romaine.
Le chef-d'oeuvre du *Sarcophage des époux* provient des fouilles de Cerveteri. C'est une sculpture étrusque en terre cuite, qui date du VIe siècle avant J.C. Des visages des deux personnages se dégage une impression de noble sérénité et une élégante limpidité expressive.
L'imposante sculpture d'*Apollon et Héraclés*, grandeur nature, est également splendide. La *Cista Ficoroni*, vase très élégant du IVe siècle, est unique. Le musée, qui est l'un des plus modernes et des mieux équipés, présente également la reconstruction d'une tombe de la nécropole de Cerveteri.

Autres Musées

Il faudrait des semaines pour faire une visite complète de tous les musées de Rome.
Il est important de s'arrêter au Musée du Château Saint-Ange (visite des *prisons* mais aussi de la splendide *Salle Pauline* et des *armes antiques*). Il ne faut pas non plus oublier les chefs-d'oeuvre de la Galerie de l'Académie de Saint Luc (oeuvres de Raphaël, de Guerchin et de Rubens).
La grande Galerie d'art moderne essentiellement consacrée à la peinture et à la sculpture italienne des XIXe et XXe siècles, vaut également que l'on s'y arrête.

LES GRANDES BIBLIOTHEQUES

TROIS MILLE ANS DE MOTS

Un tiers des manuscrits conservés dans le monde se trouve en Italie et la plus grande partie dans les bibliothèques romaines où sont entassés des millions de livres, antiques et rares. La Bibliothèque vaticane est l'une des plus importantes et l'une des plus prestigieuses au monde. Fondée en 1475 pour conserver les archives papales, elle fut définitivement installée dans le palais construit au XVIe siècle par Domenico Fontana à la demande du Pape Sixte V, où elle se trouve actuellement. Elle possède deux millions de livres et 150.000 manuscrits, conservés dans les souterrains. La plus grande bibliothèque de Rome est la Bibliothèque Nationale Vittorio Emanuele II

Cité du Vatican, bibliothèque Vaticane

(viale Castro Pretorio). Inaugurée en 1876, elle fut transférée dans l'édifice où elle se trouve actuellement, en 1975. Cinq millions de livres, 6.000 journaux et 5.000 manuscrits. On peut également y consulter 60.000 microfilms qui reproduisent ce qui est conservé dans cent bibliothèques italiennes. La Casanatense, fondée par les Dominicains et, au XVIIIe, première bibliothèque de Rome, rassemble près de 400.000 livres et 6.500 manuscrits. Elle est spécialisée dans la culture religieuse et le XVIIIe. La première bibliothèque de Rome ouverte au public fut la Bibliothèque Angelica, ouverte en 1614. Dans un cadre architectural splendide, elle propose aujourd'hui 200.000 oeuvres et 2.500 manuscrits (la première édition de la Divina Commedia de Foligno de 1472, et De Oratore, premier livre imprimé en Italie, en 1465). Les autres bibliothèques célèbres sont : la Valiccelliana, fondée par Saint Philippe Néri (études historiques, ecclésiastiques); la Bibliothèque des Lincei, créée en 1754, avec une large section sur l'Islam, et la Bibliothèque Universitaire Alexandrine (1661) où sont conservés plus d'un million d'ouvrages de philosophie, d'histoire, de littérature et de droit.

PARMI LES PALAIS ET LES GALERIES

◁ Le Bernin, Rapt de Proserpine

Canova, Paolina Borghese

La Galerie Borghese

Dans le panorama verdoyant de la Villa Borghese se dresse le Casino Borghese, conçu par Ponzio en 1608 et achevé quelques années plus tard par Jean Van Santen (Vasanzio). Un musée dans lequel sont conservées les splendides collections ayant appartenu au cardinal Scipione, neveu de Paul V, a été installé dans cet ensemble conçu par le Cardinal. L'oeuvre la plus célèbre est la *statue de Pauline Bonaparte*, soeur de Napoléon, représentée en Vénus, et admirablement sculptée par Canova (1805). La splendeur néo-classique de l'oeuvre renvoie à une sensualité emprisonnée dans un marbre extrêmement poli. Il semble que Pauline ait posé nue, défiant les convenances de l'époque. Parmi les chefs-d'oeuvre, il faut encore noter *David*, du Bernin (1624), dans une position tendue (très différent du David de Michel-Ange); *Apollon et Daphné*, chef-d'oeuvre du même Bernin, qui raconte la légende d'Ovide dans laquelle Daphné, pour fuir Apollon, se transforme en arbre; le *Rapt de Proserpine*, également du Bernin. Le motif central de l'oeuvre est dans la tension opposée des deux corps, celui de Pluton, musclé et fort, et celui de Proserpine, délicat et naturaliste.

Parmi les peintures les plus illustres rassemblées dans la Galerie Borghese, il faut noter *L'amour sacré et l'amour profane*, oeuvre de jeunesse de Titien (1514), dont la finesse ressort davantage dans la splendeur des couleurs que dans le message symbolique des deux figures féminines : l'une nue et l'autre habillée; La *Danae* de Corrège (1530), oeuvre suggestive empreinte d'une forte sensualité; la *Déposition*, de Raphaël, sujet que l'artiste reprit d'un sarcophage antique; et pour terminer, des oeuvres splendides de Caravage, comme *Saint Jérôme* (1606), très noble portrait curieusement horizontal, et la superbe *Vierge des palefreniers*, qui fut exécutée en 1605 par Caravage pour l'église du même nom, mais qui fut refusée à cause de son réalisme, et termina dans la collection Borghese : sous le regard de Sainte Anne, la Vierge, en parfaite fille du peuple, et l'Enfant, courageusement nu, écrasent le serpent, symbole du démon, sous leurs pieds.

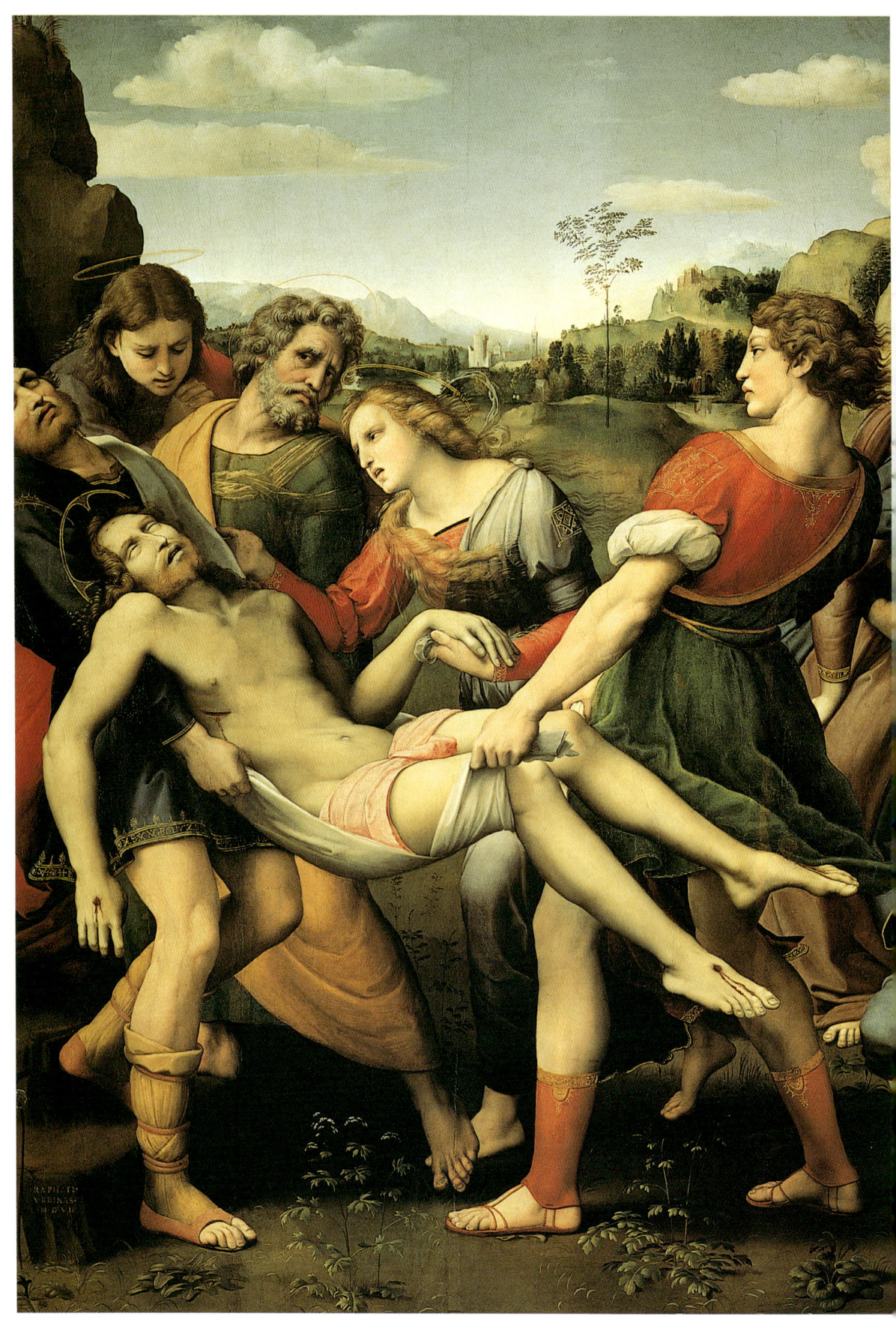

Raphaël, la Déposition

Caravage, Vierge des Palefreniers

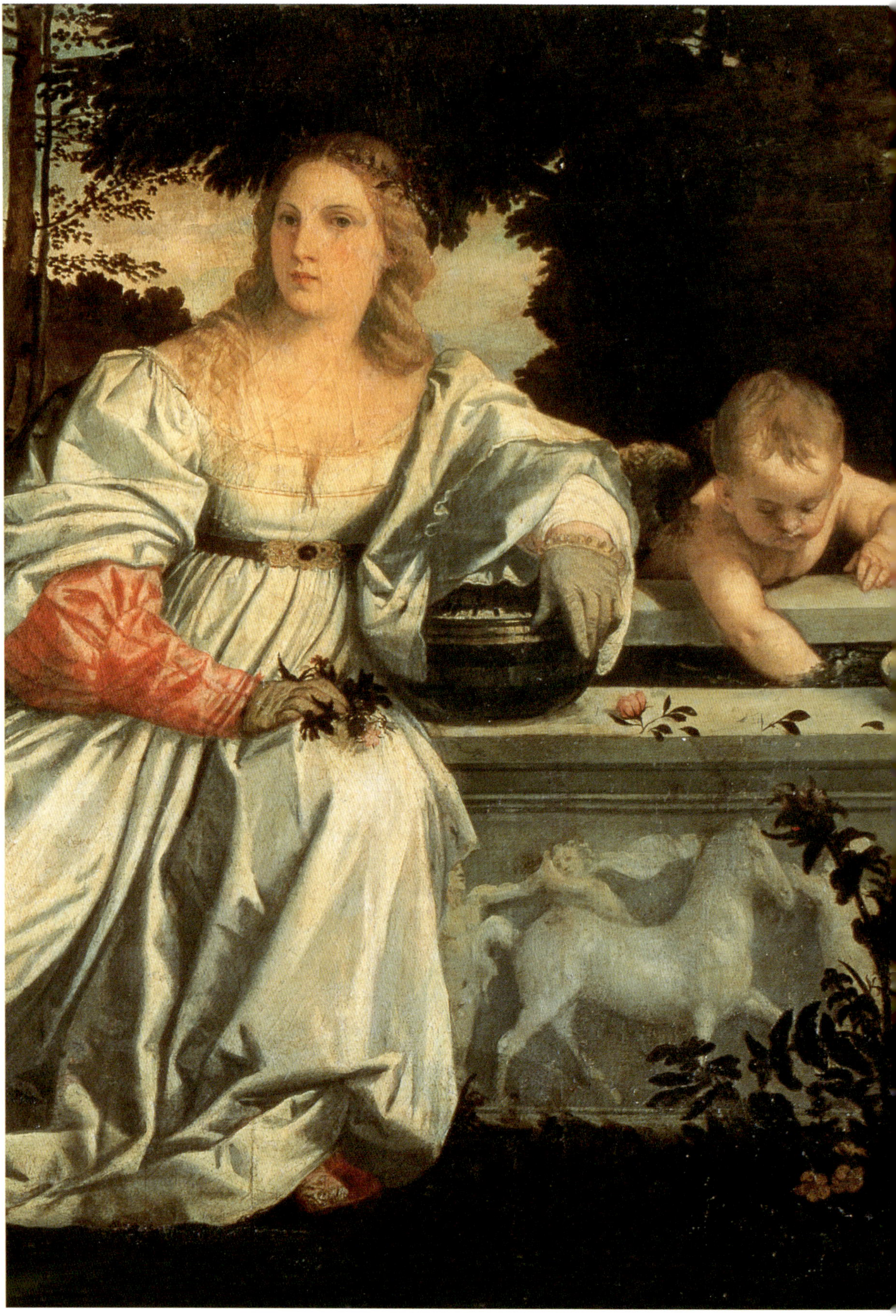

Le Titien, Amour Sacré et Amour Profane

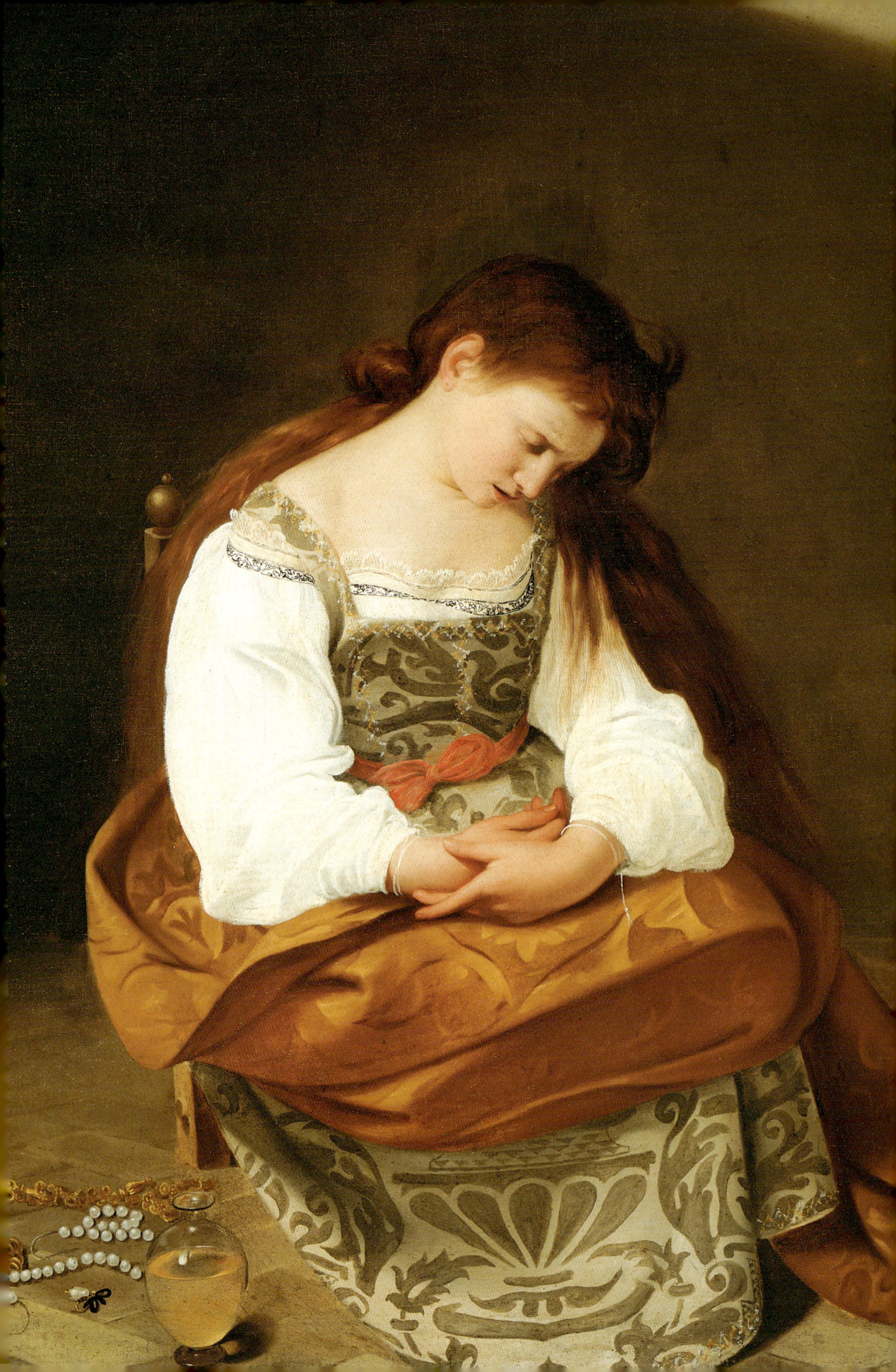

Caravage, Madeleine

Caravage, Repos pendant la fuite en Egypte

Galerie Doria Pamphilj

C'est dans le Palais du même nom, de style rococo, restauré plusieurs fois (la façade sur le Corso et celle qui donne sur la via Plebiscito datent quasiment de la moitié du XVIIIe), que fut installée la splendide Galerie (encore aujourd'hui propriété des Doria Pamphilj). Elle contient un grand nombre de chefs-d'oeuvre (il est également possible de visiter les somptueux *Appartements privés*): *Salomé*, du jeune Titien; La *Vierge à l'Enfant* de Parmigianino; le *Repos durant la fuite en Egypte*, du jeune Caravage, lorsque celui-ci était encore loin des tons tragiques de la maturité. Parmi les autres oeuvres importantes, il faut noter les peintures des Carrache, de Savoldo, de Salvator Rosa, etc. Parmi les oeuvres non italiennes, un splendide *Portrait d'Innocent X* de Vélasquez (1650), quelques paysages, dont le *Paysage avec danseurs*, de Claude Lorrain, véritable chef-d'oeuvre où la clarté du ciel contraste admirablement avec l'obscurité du bois. Deux précieux *Bustes d'Innocent X*, réalisés par le Bernin, appartiennent également à la Galerie. On y accède par la Piazza del Collegio Romano.

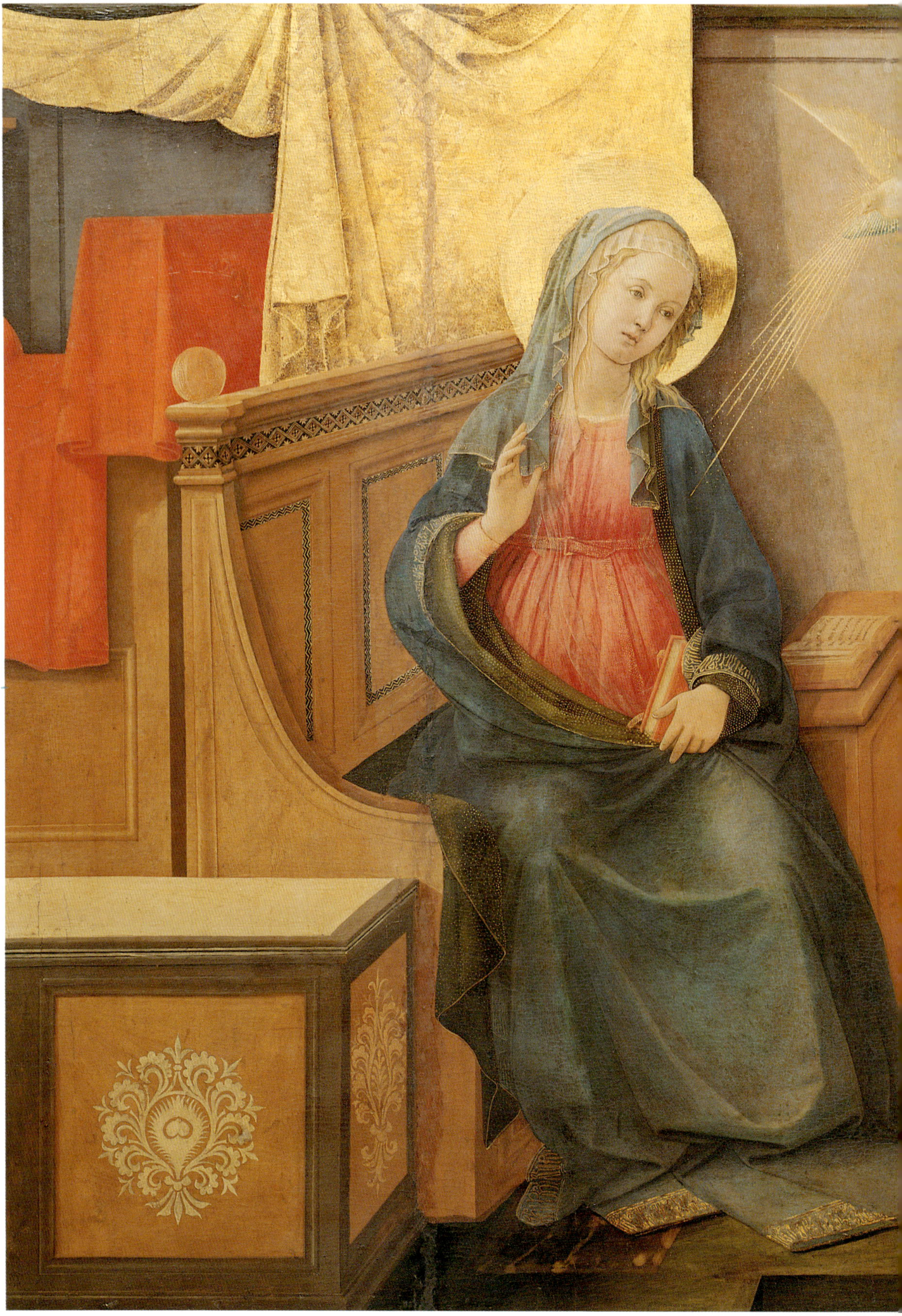

Galerie Doria Pamphili, Filippo Lippi, Annonciation

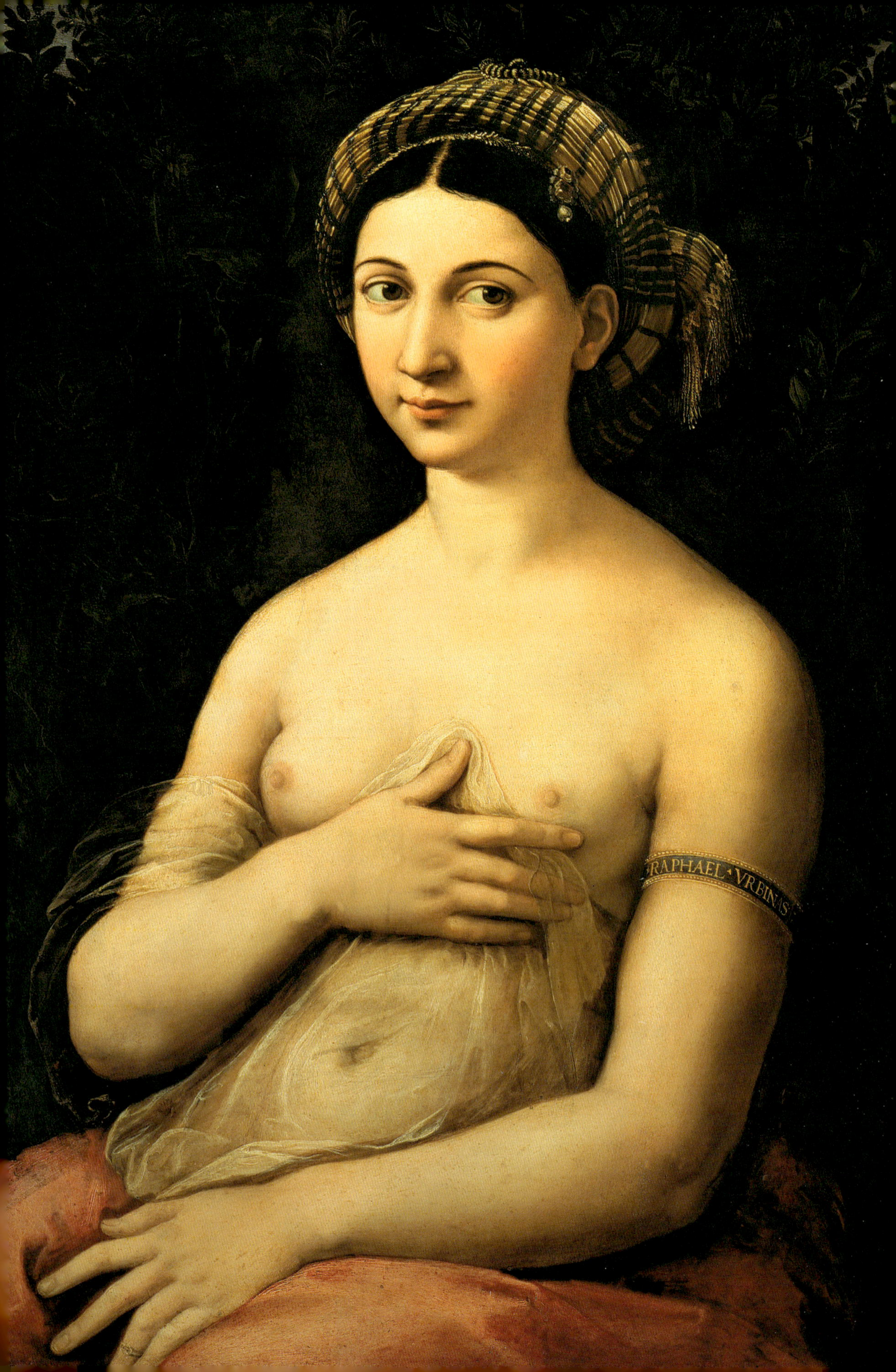
RAPHAEL VRBINAS

◁ Palazzo Barberini, Raphaël, Portrait de la Fornarina

Palazzo Barberini, Caravage, Judith et Holopherne

Palazzo Barberini

Encore un palais à visiter pour lui-même, et pas seulement pour la collection qu'il abrite (Galerie Nationale d'Art Antique). Le Palais, de la famille Barberini qui possédait presque tout le quartier, est attribué à Carlo Maderno. Plus tard, les deux grands artistes qui ont tant donné à Rome, Borromini et le Bernin, y travaillèrent également. La façade sur le jardin et l'*escalier à cage carrée*, sont du Bernin, l'*escalier en colimaçon* et les *fenêtres* de l'étage principal, de Borromini. Les fresques des plafonds, que l'on retrouve dans plusieurs salles, dont l'immense *Divine Providence* de Pietro da Cortona, sont magnifiques.

A l'intérieur du Palazzo Barberini (propriété de l'Etat italien depuis 1949) se trouve la célèbre Galerie d'Art Antique, avec notamment les oeuvres de Filippo Lippi, de Lorenzo Lotto, d'Andrea del Sarto, de Pérugin et de Caravage. Il y a également d'autres peintures d'artistes non italiens dont Holbein et Nicolas Poussin.

Parmi les chefs-d'oeuvre de la Galerie, il faut noter l'admirable *Portrait de la Fornarina*, de Raphaël, qui ne serait autre qu'une représentation de sa maîtresse plébéienne (d'autres attribuent l'oeuvre à Giulio Romano).

A voir également le *Portrait de Stefano IV Colonna* de Bronzino. Le tableau de Caravage, *Judith coupe la tête à Holopherne*, est admirable. C'est pendant son séjour à Rome, sous la dépendance du Cardinal del Monte, que Caravage réalisa cette oeuvre. Elle témoigne clairement de la prédilection de l'artiste à contraster l'ombre et la lumière, et est marquée par un réalisme tragique qui suscita de fortes polémiques.

Galerie Spada

La Galerie Spada se trouve dans le Palazzo Spada, du XVIe siècle qui en soi mérite déjà une visite. C'est aujourd'hui le siège du Conseil d'Etat. Propriété des Spada depuis le XVIIe, le palais fut réaménagé. Des *statues en stuc* de nobles personnages de l'antiquité ont été placés dans les niches de la façade; la "perspective" de Borromini (qui ne mesure en réalité que 9 mètres), est splendide.

De nombreuses oeuvres importantes, surtout du XVIIe, de Guido Reni, de Guerchin et de Valentin, y sont conservées. Enfin, dans le Salon des Réunions (Salone delle Adunanze) observer la *statue* colossale que l'on présume être de Pompée.

Palazzo Venezia, façade

Palazzo Venezia

Construit vers la moitié du XVIe siècle, le Palazzo Venezia est le premier exemple de palais de la Renaissance à Rome, même si son aspect massif et le couronnement en créneaux de la façade font plutôt penser à une construction médiévale.

L'attribution à Leon Battista Alberti ne semble pas très sûre. D'abord siège de l'Ambassade de Venise à Rome, il passa ensuite aux mains des Autrichiens et revint à l'Italie en 1916. C'est du balcon du premier étage que Benito Mussolini, dictateur fasciste, faisait ses discours historiques à la foule. Il eut son bureau dans le palais entre 1929 et 1943. Le Musée du même nom, actuellement dans le Palais, renferme des *collections de tapisseries*, de *sculptures*, d'*argenterie*, d'*armes* et de *céramiques*.

A voir, l'historique *Salle de la Mappemonde*, où Mussolini avait son bureau.

Palais Farnèse

C'est le plus grand palais privé de Rome. Il fut d'abord construit pour le Cardinal Farnèse (puis pour le Pape Paul III), dans un premier temps par Antonio da Sangallo puis par Michel-Ange qui conçut le deuxième étage, la corniche et une partie de la cour. La Palais est aujourd'hui le siège de l'ambassade de France. C'est Giacomo della Porta qui acheva la façade et la loggia sur la via Giulia.

Parmi les éléments les plus beaux de cette construction, on note la façade, qui aurait été construite à partir de matériaux provenant de l'antiquité romaine, et la très élégante *cour* scandée par des colonnes, des fenêtres et des arcades. A l'intérieur, visiter la *Salle des Fastes* (fresques de Zuccari) et la *Salle des Gardes* (réplique de l'*Hercule Farnèse*, dont l'original se trouve à Naples). La Galerie, recouverte de fresques, au début du XVIIe, par les frères Annibal et Augustin Carrache, est impressionnante.

VIA APPIA ANTICA

C'est la plus célèbre, la plus longue et la plus droite des routes romaines antiques, et aussi la mieux conservée. Elle commence près des Thermes de Caracalla et arrive jusqu'à Terracina, à 90 kilomètres de là, presque en ligne droite. Elle se dirige ensuite vers Capoue, en Campanie, puis jusqu'à Brindisi, en passant par Bénévent (Benevento). Elle fut construite pour relier Rome avec l'Orient et faciliter ainsi les échanges commerciaux. Appelée "regina viarum", la reine de toutes les routes, elle fut commencée en 312 avant J.C. par Appio Claudio, un homme politique qui lui donna son nom, et fut poursuivie vers 190 avant J.C. jusqu'à Brindisi. Abandonnée à la fin de l'empire, elle fut "redécouverte" pendant la Renaissance mais ce n'est qu'au XXe siècle qu'elle fut restaurée comme nous la voyons aujourd'hui.

Construite selon une technique très sophistiquée, que seule la technologie du XXe reprendra, l'Appia possède un plan de route pavé, constitué de quatre couches différentes, et une chaussée de quatre mètre dix avec des chemins piétonniers sur les côtés; dans l'antiquité elle était bordée d'arbres. Sur les côtés on distingue de nombreuses tombes nobles, l'usage antique étant d'inhumer les défunts hors des murs de la cité. Celui qui parcourt aujourd'hui la Via Appia est saisi par tout ce qu'elle évoque – souvenirs

Cirque de Maxence

de véhicules, de personnes, d'armées, de marchands en déplacement continuel – et, en même temps, elle expose, avec toutes ses sépultures, le caractère sacré de la mort. Parmi les sépultures, la plus célèbre est certainement la tombe de Cecilia Metella, une jeune patricienne. La tombe reprend le style de la sépulture étrusque et annonce celui des grands mausolées d'Auguste et d'Hadrien. Sur un socle carré recouvert de travertin, se dresse la construction cylindrique qui abrite une petite pièce funèbre, au centre. La construction, qui est aujourd'hui ornée de créneaux médiévaux, était surmontée, tout en haut, d'un petit bois de cyprès suspendu. Les monuments qui se trouvent le long de

Tour en Silex

l'Appia ou dans les alentours, sont nombreux. De grandes installations thermales avec 1600 places, furent réalisées en 212 après J.C., à partir des immenses Thermes de Caracalla, encore bien conservés (qui servent actuellement de cadre à des spectacles d'opéra, l'été), par l'Empereur Caracalla, avec des gymnases, des piscines, des salles de musique, des locaux souterrains. Mis à part quelques pavements recouverts de mosaïques, ses décorations, très riches, ont été perdues. Deux célèbres opéras de l'antiquité furent ranimés ici : Le Taureau et l'Hercule Farnèse. Nous nous dirigeons maintenant vers les Catacombes de Saint Calixte et la longue série de tombes patriciennes.

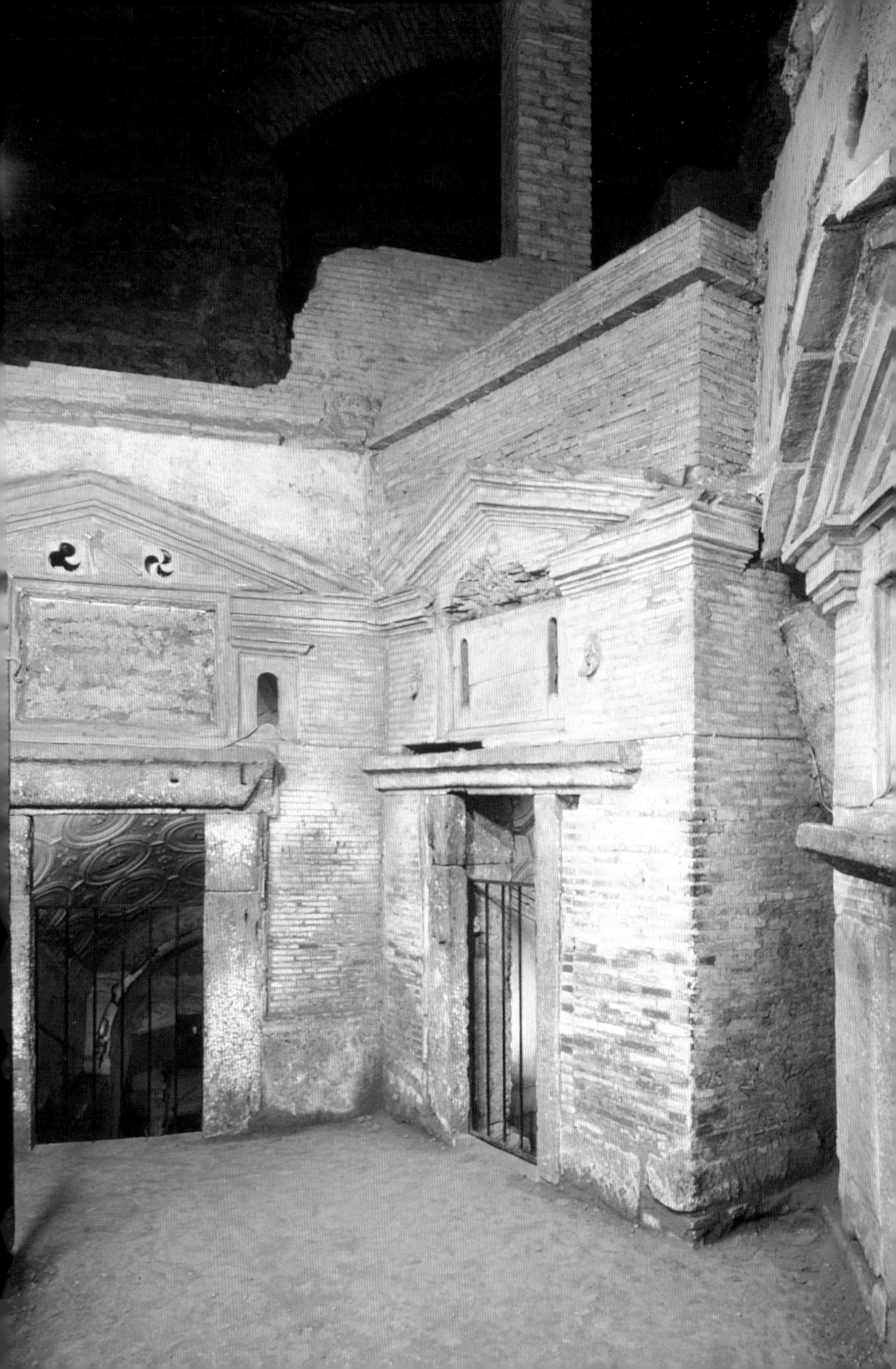

Catacombes de Saint Sébastien, Vue des trois sépulcres

Catacombes de Saint Sébastien, Nature morte avec un oiseau

LES CATACOMBES ROMAINES

Sur le plan étymologique, le terme "catacombe" vient du latin "ad catacumbas" qui signifie près des cavités.
Les catacombes sont des cimitières souterrains, creusés par les premiers chrétiens, entre le IIe et le Ve siècle, dans les-quels ceux-ci enterraient leurs morts, parmi lesquels il y eut quelques martyrs. La présence des martyrs a fait des catacombes de vrais lieux de culte.
Elles ont gardé cette caractéristique tout au long des siècles jusqu'à aujourd'hui. Pendant longtemps, on a cru que ces espaces souterrains avaient servi de refuge aux premiers chrétiens qui fuyaient les persécutions. Mais on a maintenant la preuve qu'il ne s'agissait en aucun cas de lieux clandestins mais bien au contraire de cimitières connus et même protégés par les autorités romaines de l'époque ; la seule raison pour laquelle ces premiers cimitières étaient souterrains semble être un manque de place en superficie. Comme tous les autres lieux de sépulture, ils étaient situés en dehors des murs de la ville de long des routes que les consuls avaient fait construire, et constituaient une ville, même s'il s'agissait d'une ville souterraine, faite de centaines de kilomètres de galeries.
Le sous-sol de cette région, essentiellement en tuf, a favorisé

Catacombes de Saint Sébastien, Le Bernin, Buste de Saint Sébastien

Catacombes de Saint Calixte, Crypte des Papes

Catacombes de Saint Calixte, tombes démurées et fresque avec cinq saints

Catacombes de Domitille, le Christ et les Apôtres

Catacombes de Priscille, galerie centrale au premier étage ▷

le développement de cette méthode de sépulture. Les catacombes les plus connues sont celles de Saint Sébastien, de Domitille et de Saint Calixte.

Dans les catacombes de Saint Sébastien, situées sur la Via Appia, on peut admirer, outre la crypte de Saint Sébastien, de nombreuses inscriptions et décorations représentant des animaux qui constituaient des symboles pour les chrétiens de l'époque.

Les catacombes de Domitille sont situées dans la Via delle Sette Chiese.

L'entrée se trouve au numéro 282, près de la Via Appia que nous venons de citer. il semble que le terrain sur lequel elles se trouvent ait été donné par à laquelle elles sont dédiées. A voir : la Basilique des Saints Martyrs Nérée et Achille, qui remonte au IVe siècle, l'hypogée des Flavi, et de nombreuses fresques représentant des scènes de l'Ancien et du Nouveau Testament.

A l'intérieur des Catacombes de Saint Calixte, également situées sur la Via Appia Antica, se trouvent la célèbre crypte des Papes Martyrs qui remonte au IIIe siècle, la crypte de Sainte Cécile avec des fresques du VIIe-VIIIe siècle représentant la sainte, Saint Urbain et le visage du Christ. La statue de Sainte Cécile, oeuvre de Maderno et les cubiculums des Sacrements, sont particulièrement intéressants.

Catacombes de Domitille, tombe de Veneranda, arcosolium

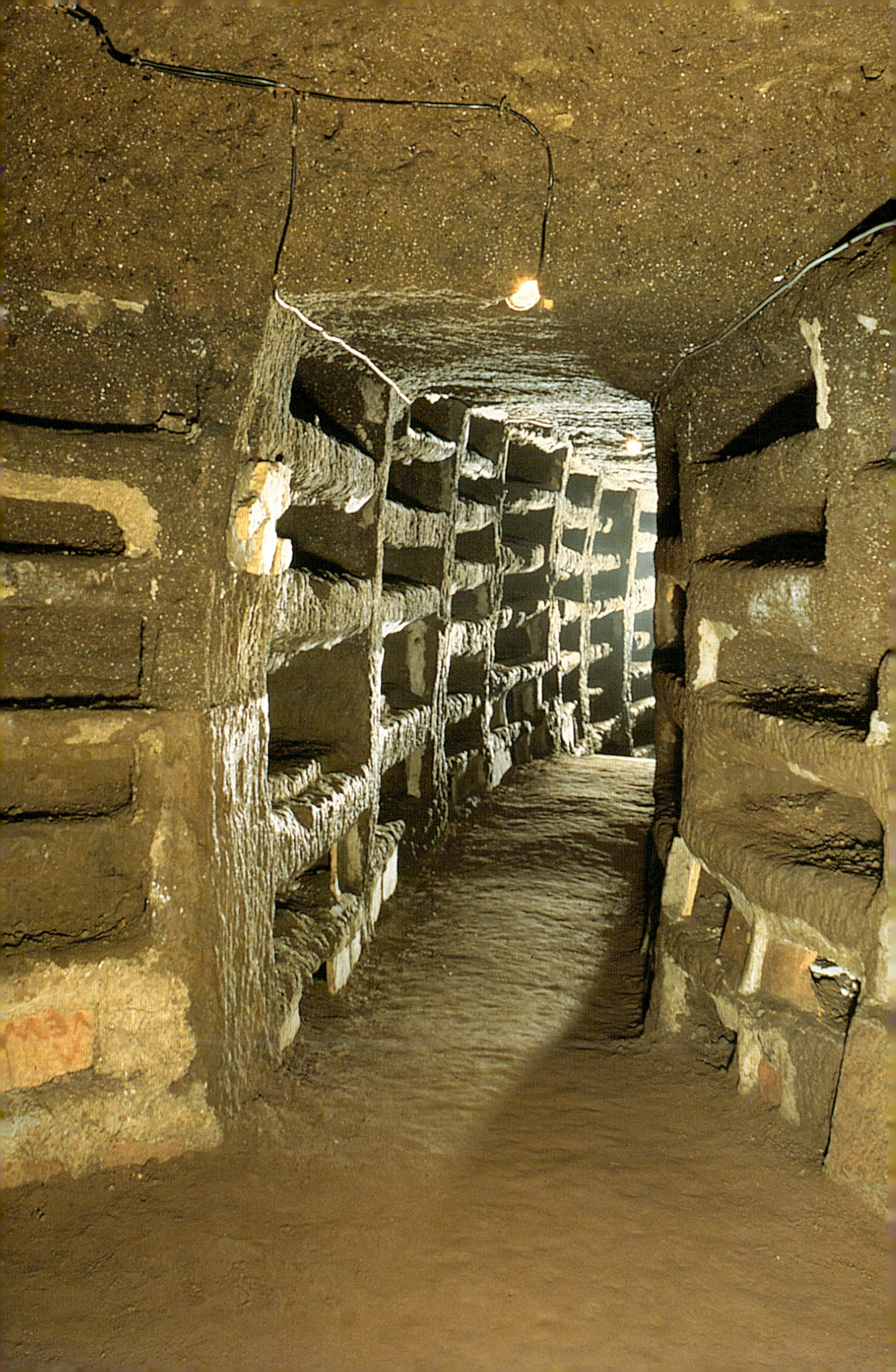

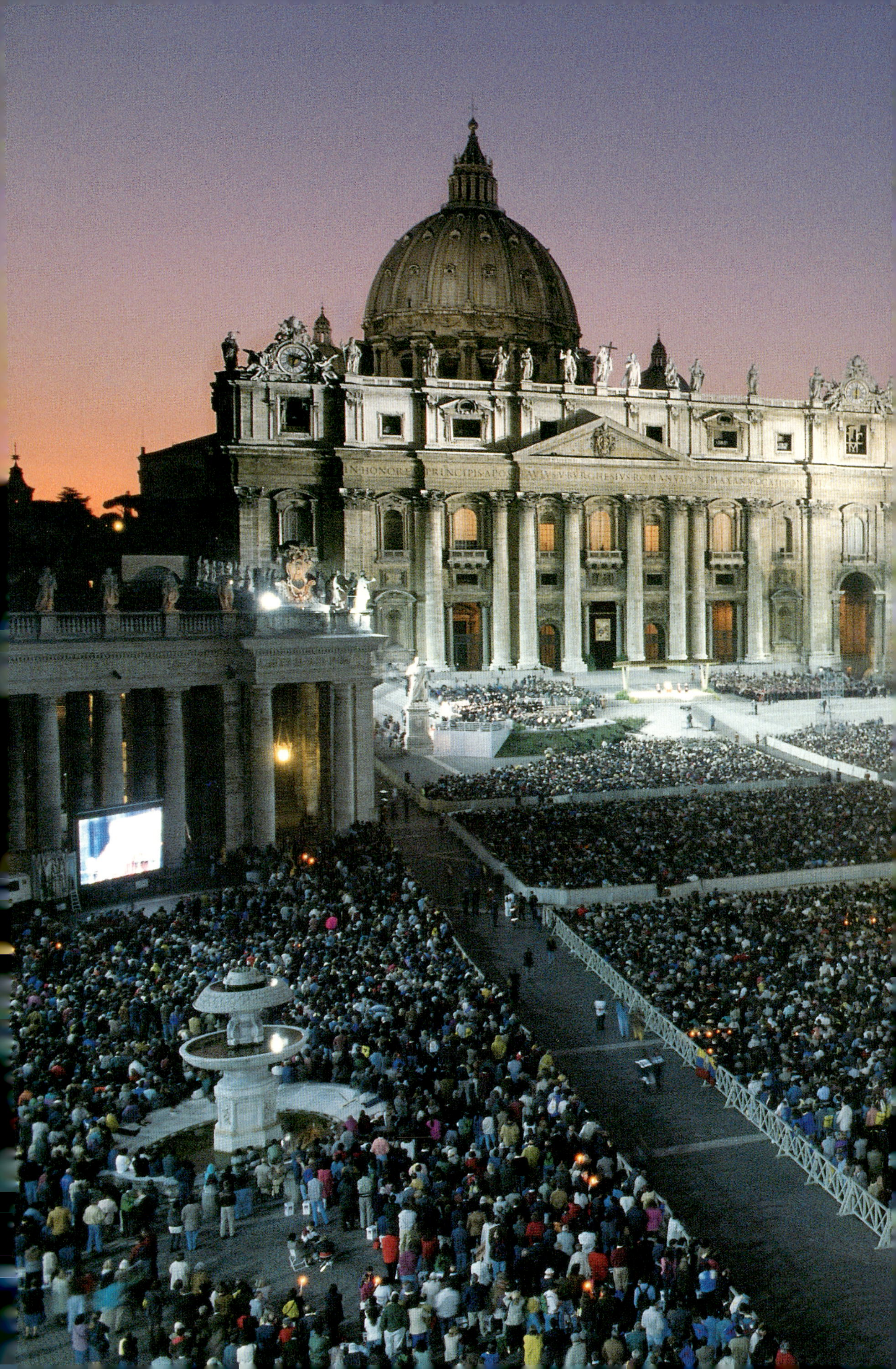

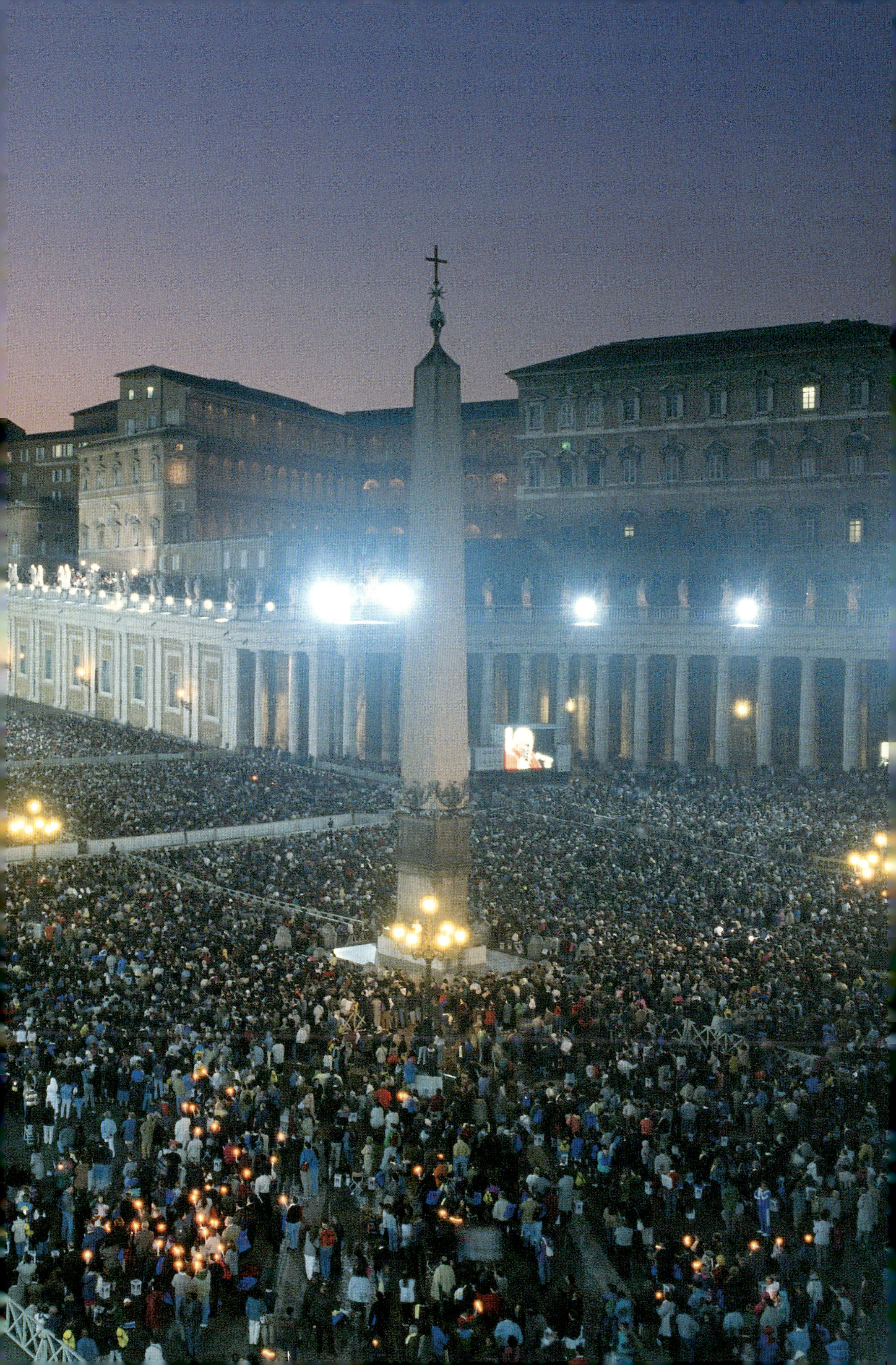

IN HONOREM PRINCIPIS APOST PAVLVS V BVRGHESIVS ROMANVS PONT MAX AN MDCXII PONT VII

◁ Basilique Saint Pierre et via della Conciliazione

Gardes Suisses

LA CITÉ DU VATICAN

Avant de se plonger dans les grands chefs-d'oeuvre et les mémoires sacrées, jetons un regard sur la Cité du Vatican dans son ensemble, le plus petit Etat du monde (4,4 km), qui s'étend sur le flanc de la colline vaticane entre Monte Mario et le Janicule.

La plus importante basilique de toute l'histoire du christianisme se dresse là où l'empereur Caligula avait fait construire un cirque dans lequel Saint Pierre fut mis à mort en 67. Au Moyen Age fut constitué l'Etat du Vatican qui s'élargit vers l'Italie centrale. Rayé de l'unité italienne en 1870, l'Etat du Vatican fut reconstitué avec ses dimensions actuelles en 1929, lors de la signature des Accords du Latran entre le Saint Siège et l'Italie. L'Etat du Vatican possède une police, un corps diplomatique et une armée propres, dont la célèbre Garde Suisse, qui fut instituée par Jules II en 1506. Cette garde personnelle du pape se composait à l'origine de deux cents suisses.

La conception de leur uniforme attrayant, qui n'a pas changé depuis presque cinq siècles, est attribuée à Michel-Ange.

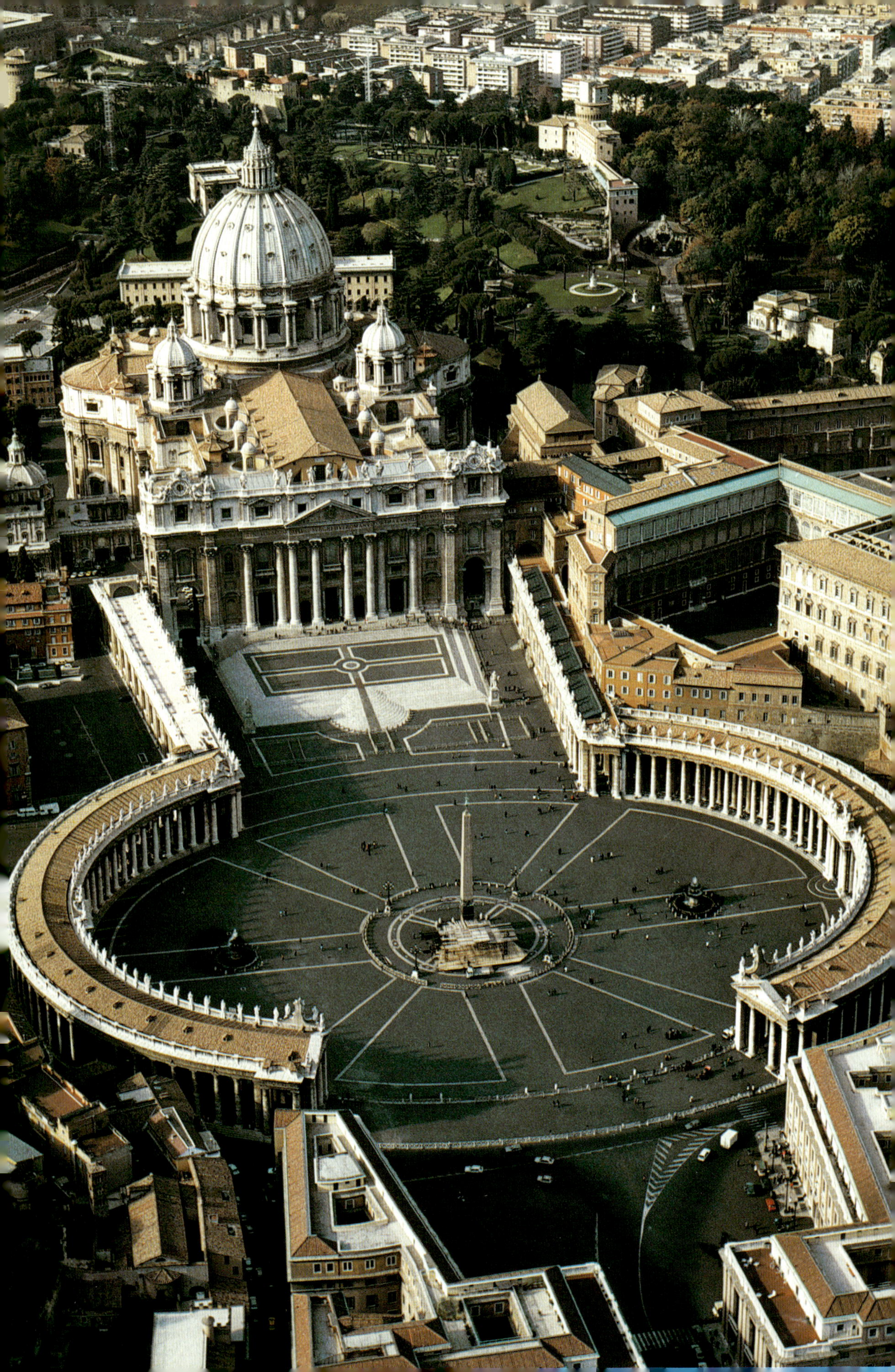

Place Saint-Pierre

La Place Saint Pierre, centre du christianisme depuis deux millénaires, est impressionnante tant sur le plan artistique que religieux. C'est un espace démesuré mais harmonieux qui s'ouvre sous le ciel. La Place a la forme d'une ellipse parfaite de 240 mètres de long. Elle est entourée par la majestueuse colonnade du Bernin composée de 284 colonnes doriques disposées en quatre rangées et surmontées de 140 statues de saints et de martyrs.
Deux grandioses fontaines (l'une de Maderno, l'autre du Bernin) ont été placées sur les côtés. L'une d'entre elles est l'oeuvre du Bernin et l'autre de Carlo Maderno. Au centre se dresse un grand Obélisque égyptien – il fut placé là en 1586 – au sommet duquel est conservée une relique de la Croix.
Une petite curiosité : si l'on se place à l'intérieur d'un cercle tracé sur le sol entre les deux fontaines, on obtient une vision curieuse et insolite des colonnes qui s'alignent parfaitement, ne laissant voir que la première des quatre rangées.
Autre curiosité : à droite de la Basilique on distingue les palais apostoliques parmi lesquels on aperçoit la Chapelle Sixtine.
Sur le toit de forme triangulaire, on reconnaît la célèbre cheminée d'où sort la fumée blanche qui annonce l'élection d'un nouveau pape.

La Basilique Saint-Pierre

A l'emplacement de la Basilique se trouvait le Cirque de Néron. C'est là aussi que Saint Pierre, le premier des apôtres, fut martyrisé, et qu'il fut enseveli. L'empereur Constantin, qui s'était converti au christianisme, fit ériger une basilique autour de laquelle le Pape Symmaque fit construire, en 500, la première résidence épiscopale. Le quartier a grandi au fil des siècles.

En l'an 800, le jour de Noël, c'est là, sur la tombe de Pierre, et non dans celle qui était à l'époque la cathédrale de Rome, Saint Jean de Latran, que Léon III couronna Charlemagne empereur. En 1377, au retour d'Avignon, où il était exilé, le pape s'y installa définitivement, avec la Curie. C'est Jules II qui décida d'ériger une nouvelle église, grandiose, à l'emplacement de la basilique de Constantin, qui tombait en ruines. Il confia les travaux, qui commencèrent en 1506 mais se poursuivirent pendant un siècle et demi, à l'architecte Bramante. A la mort de l'artiste, en 1514, c'est Raphaël qui prit la relève, puis Antonio da Sangallo le Jeune, jusqu'à ce que Michel-Ange intervienne, en 1546, optant pour une église à croix grecque, et dessinant la nouvelle coupole qu'il ne réussit cependant à réaliser que jusqu'au tambour.

Plus tard, Paul V chargea Carlo Maderno de reprendre l'idée de la croix latine, d'ajouter trois chapelles de chaque côté et de construire la façade qui fut érigée entre 1606 et 1614 (mais que beaucoup critiquèrent car elle semblait trop large par rapport à la hauteur). C'est alors qu'intervint le Bernin, avec tout son génie d'architecte baroque. En 1646 on lui confia la charge de restructurer la façade. C'est également lui qui eut l'idée fabuleuse d'ériger une immense colonnade en forme d'ellipse autour de la Place. Le couronnement suprême de la Basilique Saint-Pierre est la grandiose coupole de Michel-Ange, que l'on voit de tous les coins de la ville. Elle repose sur un tambour rythmé par des fenêtres surmontées par d'élégants frontons, en alternance cintrés et triangulaires, séparés par des colonnes géminées (doublées). On peut monter sur la coupole d'où l'on a une vue extraordinaire de Rome, en montant les 537 marches, ou en prenant l'ascenseur. Plusieurs personnes pourraient entrer dans la sphère qui surmonte le lanternon de la coupole. La façade est précédée d'un porche, oeuvre de Maderno, qui abrite les statues équestres de Constantin (le Bernin), premier empereur chrétien, et de Charlemagne (Cornacchini), premier empereur du Sacré Empire Romain. Cinq portes donnent accès à la Basilique : la dernière à droite est la Porte Sainte qui est ouverte uniquement à l'occasion des Années Saintes; celle du milieu, du XVe siècle, appelée Porte du Filarete, est splendide; la dernière à gauche est la plus récente : la Porte de la Mort (1964). Elle fut réalisée par Giacomo Manzù pour le Pape Jean XXIII.

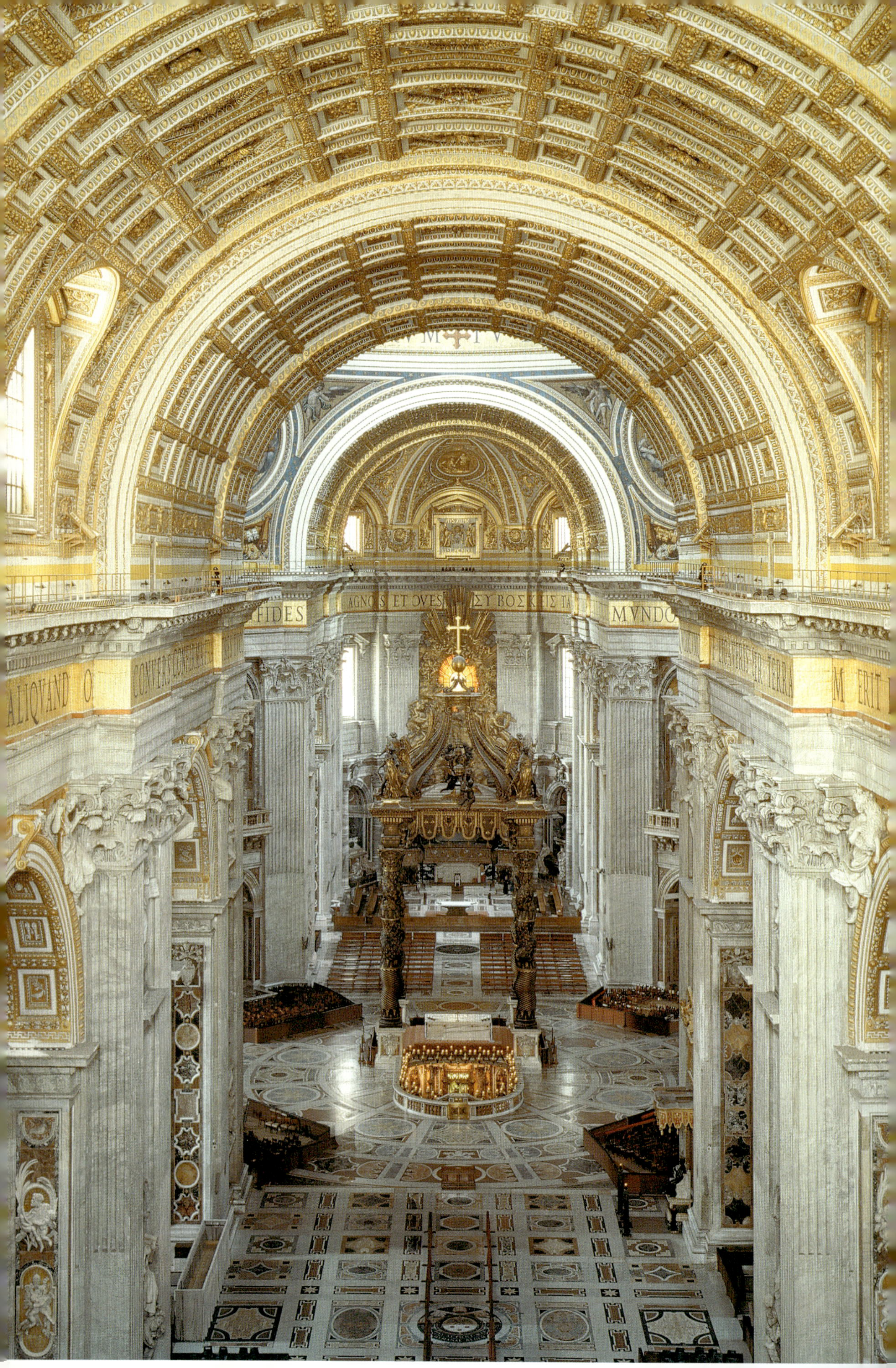
FIDES
MVNDO

◁ Nef centrale

Vue intérieure de la coupole

L'intérieur de la Basilique

Nous voici dans le plus vaste temple chrétien, sublime, harmonieux, grandiose, mesurant plus de 210 mètres de long. La coupole a une hauteur de 136 mètres. Pour avoir une idée concrète de la grandeur de la Basilique il suffit de considérer les petits anges putto, qui ont une en réalité une taille supérieure à celle d'un homme, et le baldaquin central qui est aussi haut qu'un immeuble de Rome. La Basilique renferme une quantité inouïe de choses à voir, mais le visiteur doit se concentrer sur deux oeuvres essentielles : la *Pietà de Michel-Ange* sculptée par Michel-Ange alors qu'il n'avait pas encore vingt-cinq ans, pour le jubilé de l'an 1500. C'est la seule oeuvre que l'artiste ait signée (il a sculpté son nom sur la bande qui passe sur la poitrine de la Vierge). Cette oeuvre, d'une beauté sublime, est extrêmement différente des Pietà à l'air tragique que Michel-Ange réalisera par la suite. Curieusement, la Vierge dont Michel-Ange a ici fait le portrait a la physionomie d'une enfant. La deuxième oeuvre à considérer est le *Baldaquin* en bronze du Bernin, sans oublier la belle *statue*, vénérée, de *Saint Pierre*. Le *Baldaquin*, gigantesque, est soutenu par des colonnes torses, moulées, réalisées à partir des ornements en bronze du Panthéon. Le Bernin le plaça sur l'autel papal, juste au-dessus de la *Tombe de Saint Pierre* (1624-1633). 89 petites lumières, allumées en permanence, sont placées sur la balustrade en forme d'hémicycle pour éclairer la tombe de Saint Pierre.

Statue de Saint Pierre

Michel-Ange, Pietà ▷

Quelques années plus tard, Alexandre VII chargea de nouveau le Bernin d'arranger l'abside et l'artiste réalisa la *Chaire de Saint Pierre*, un trône-reliquaire en bronze doré, grandiose construction baroque protégeant un *trône en bois* qui aurait été la vraie chaire de Saint Pierre. Elle est surmontée d'une *gloire rayonnante* et de la *colombe de l'Esprit Saint*. Au dessus du trône se presse une foule de personnages en stuc doré. De chaque côté, on peut voir de splendides monuments funéraires : la *Tombe de Paul III* (1575, de Guglielmo Della Porta) et la *Tombe de Urbain VIII* (1647, du Bernin). Quatre *statues de saints* dont *Saint Longin*, du Bernin lui-même, tenant dans la main la lance qui transperça le corps du Christ, ont été placées dans les *pilastres* de la coupole. La visite de la Basilique se termine dans la *Sacristie* et au *Musée du Trésor de Saint Pierre*, où l'on peut voir un précieux *Ciboire* de Donatello et la *Tombe de Sixte IV*, chef-d'œuvre du XVe siècle d'Antonio del Pollaiolo. On peut, pour terminer, visiter les *Grottes Vaticanes* (auxquelles on accède par une entrée située au niveau d'un pilastre de la coupole) où l'on découvre des restes de la basilique antique de Constantin et les tombes de nombreux pontifes.

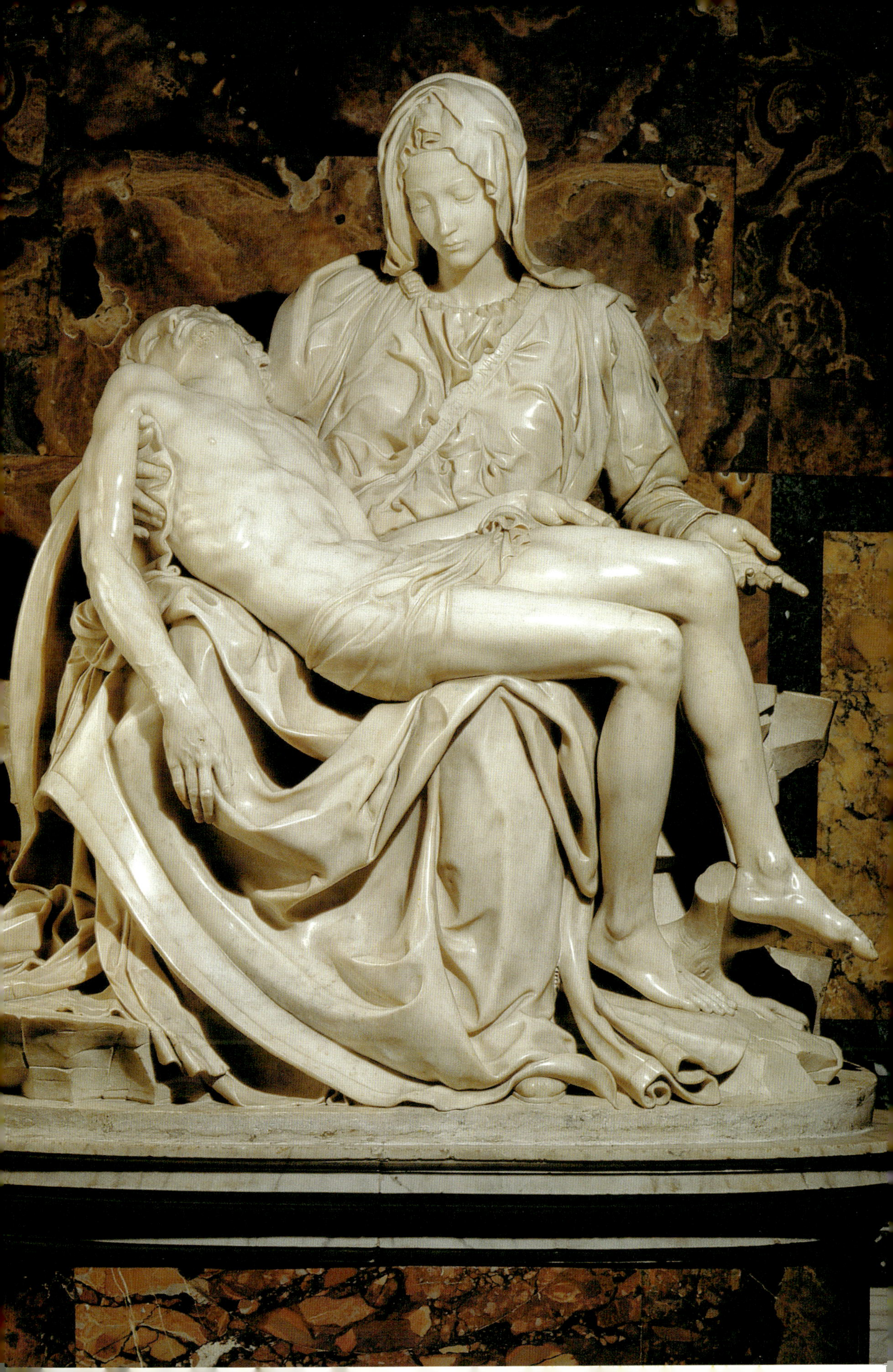

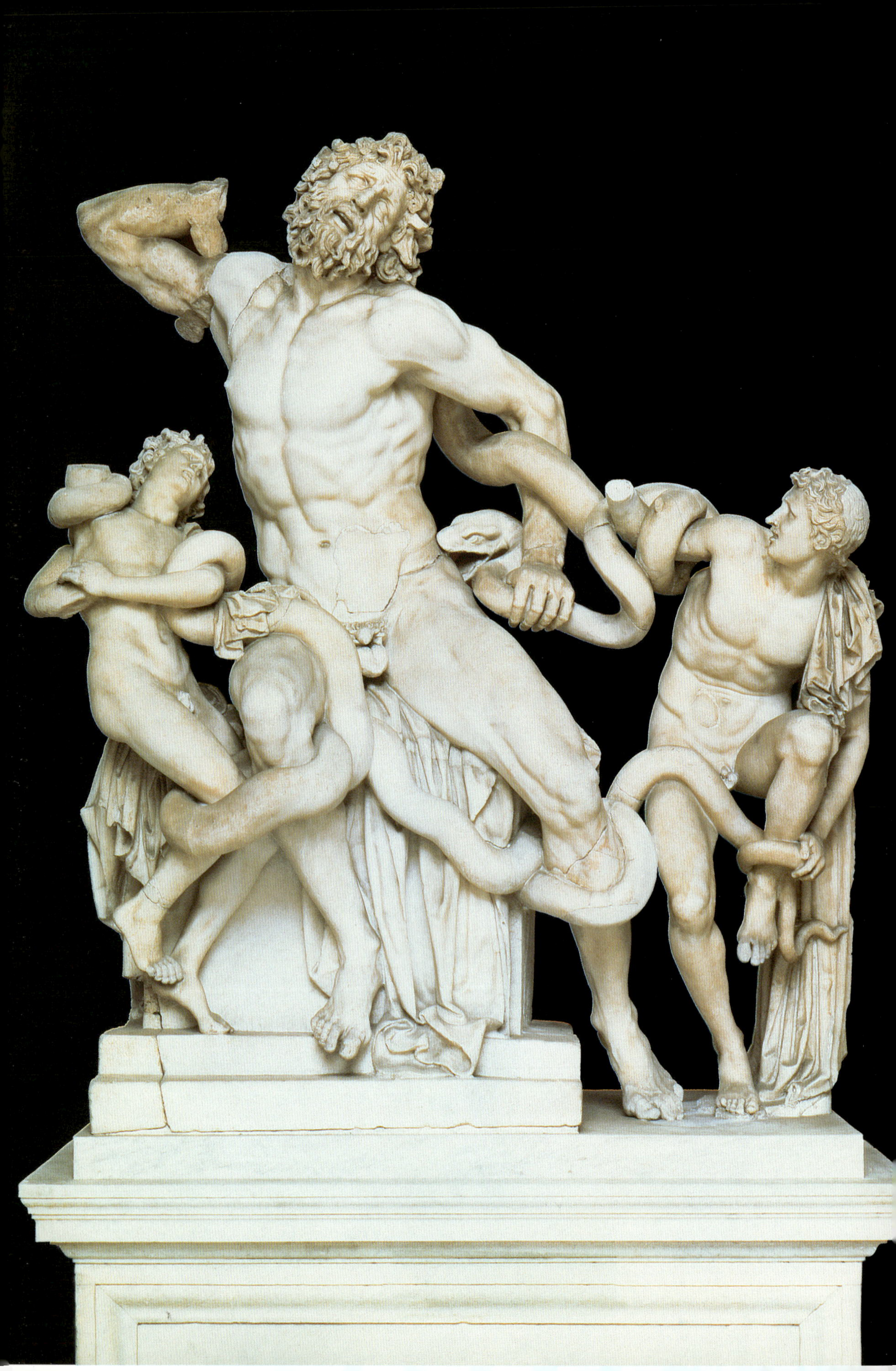

◁ Le Laocoon   Melozzo da Forlì, Ange Musicien avec la viole

LES MUSÉES DU VATICAN

Les Palais du Vatican, construction immense de plus de 1400 salles, abritent les précieux Musées du Vatican. Une collection d'oeuvres antiques, la plus importante au monde, est conservée dans le Musée Pio Clementino et dans le Musée Chiaramonti. Des grands chefs-d'oeuvre de la peinture italienne et européennes sont conservés dans les 15 salles de la Pinacothèque Vaticane édifiée par Luca Beltrami pour le Pape Pie XI.

Des chefs-d'oeuvre splendides dont le *Laocoon* représentant le prêtre de Troie avec ses fils, assaillis par des serpents car il avait sommé les troyens de ne pas accueillir le cheval en bois, sont conservés dans les musées de l'antiquité romaine, enrichis par Jules II au XVIe. Le Laocoon fut retrouvé en 1506 dans la 'Domus Aurea'. On ne sait pas très bien à quelle époque il fut sculpté. Peut-être s'agit-il d'une sculpture hellénistique. C'est l'expression de la souffrance humaine à son paroxysme. L'admirable *Torse du Belvédère*, peut-être une représentation d'Hercule, fut sculpté à la fin du premier siècle avant J.C. Il fut retrouvé au XVe siècle. Michel-Ange en fit une étude minutieuse ; on peut également y voir le superbe *Apollo du Belvédère*, copie romaine d'une oeuvre grecque du IVe siècle avant J.C. Autres chefs-d'oeuvre à ne pas manquer : L'*Auguste de Prima Porta*, oeuvre de la statuaire romaine, admirable surtout dans le bas-relief de la *cuirasse*; *Ariane endormie*, où Ariane, abandonnée par Thésée, dort dans une position recherchée. Le drapé est typique de la sculpture hellénistique présente ici à travers une copie romaine ; L'*Amazone blessée* (copie de Phidias, 500 avant J.C) ; l'*Athlète*, qui se nettoie la peau, à partir d'un bronze original de *Lysippe* et *Le Doryphore*, copie de Polyclète.

Nous voici maintenant dans la Pinacothèque Vaticane où l'on peut suivre l'évolution de l'art italien, siècle après siècle, en commençant par le *Triptyque Stefaneschi*, réalisé par Giotto en 1300, jusqu'au fabuleux *Ange musicien* de Melozzo da Forlì

Caravage, la Déposition

Raphaël, la Transfiguration

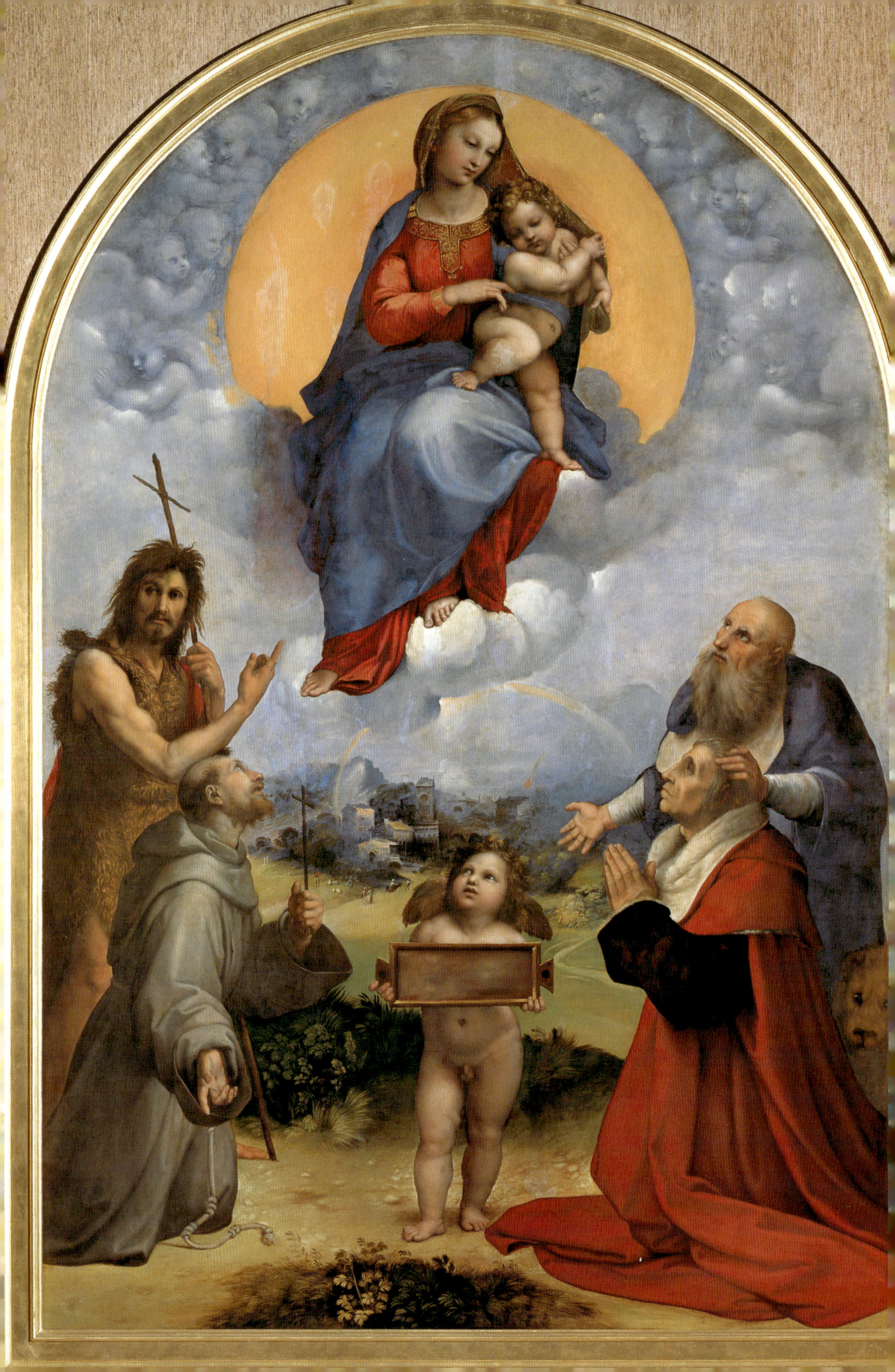

◁ Raphaël, Vierge de Foligno   Léonard de Vinci, Saint Jerôme

(auréole dorée, ciel couleur lapis) et, du même auteur : *Sixte IV et Platina*, fresque présentant le pape avec, devant lui, son neveu (qui deviendra Jules II) et l'humaniste, dit Platina. *La Vierge à l'Enfant* de Pinturicchio et *Saint Benoît* de Pérugin (1495) sont également admirables, ainsi que les oeuvres de Raphaël conservées ici : *La Vierge de Foligno*, ex voto, parmi les premières oeuvres de Raphaël à Rome, exécutée en 1512, et la Transfiguration où le Christ s'élève dans une lumière surnaturelle, avec à ses côtés Moïse et Elie, et les apôtres, couchés sur le sol, pris de panique. Cette admirable oeuvre de Raphaël a été récemment restaurée et a ainsi retrouvé toute sa splendeur. Les Musées abritent également une oeuvre inachevée mais non moins splendide : *Saint Jérôme*, de Léonard de Vinci.

On découvre également une *Pietà* de Giovanni Bellini et, aux côtés d'oeuvres de Van Dyck, Pietro da Cortona, Poussin, quelques portrait de Titien et la remarquable *Descente de Croix* de Caravage, peinte en 1604.

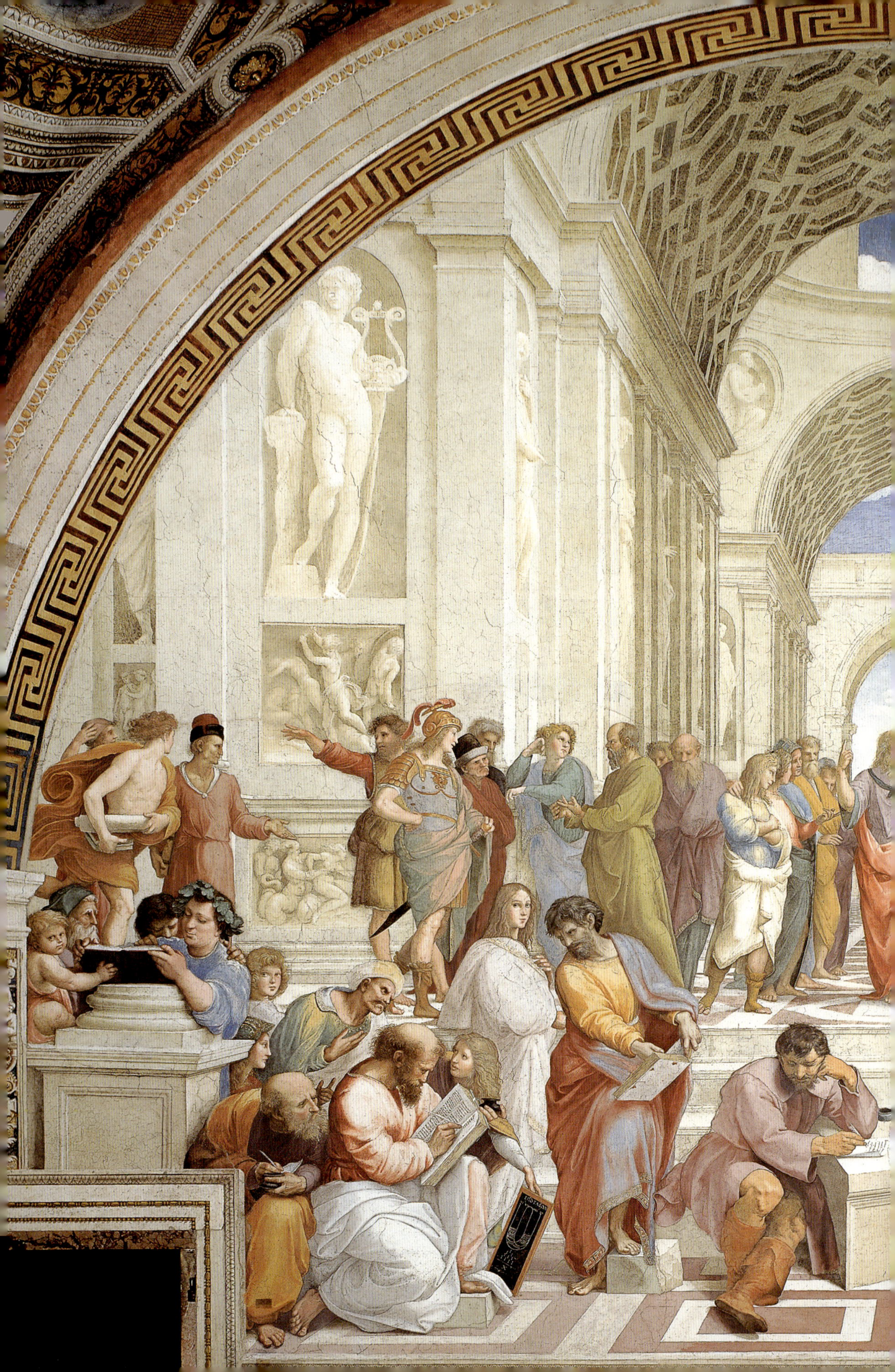

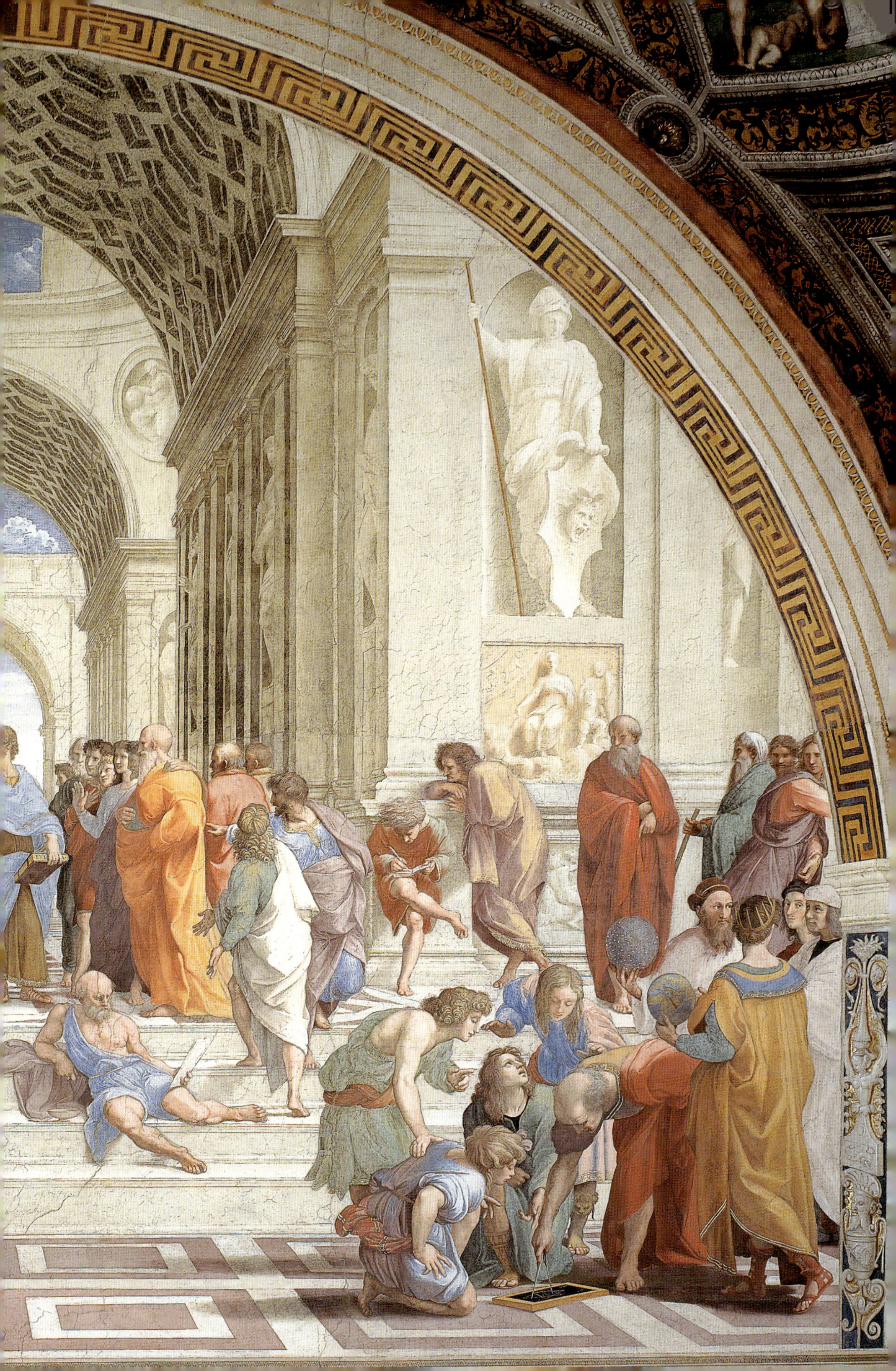

Raphaël, Incendie du Borgo

Les Chambres de Raphaël

En 1508, le Pape Jules II souhaita terminer la décoration de ses appartements interrompue plusieurs années auparavant par Signorelli et Piero della Francesca. Il chargea donc Raphaël, jeune artiste dont le talent ne tardera pas à égaler celui des grands, comme Léonard de Vinci et Michel-Ange, tout en conservant son caractère distinct.

La plus belle des quatre pièces recouvertes de fresques par Raphaël est sans doute la *Salle de la signature*, où l'artiste compose, s'inspirant de hautes réflexions et d'allégories théologiques, philosophiques et politiques. C'est ainsi que naît *La Dispute du Saint Sacrement,* grande fresque de symbolique religieuse; *le Parnasse*, fresque avec Apollon qui joue de la musique parmi les Muses (représentées pour la première fois à l'époque moderne) et une foule de poètes dont Alcée, Corinne, Pétrarque, Anacréon, Ennius, un peu à l'écart, Sapho (la seule qui n'ait pas la couronne de lauriers), puis un groupe avec Dante, Homère, Virgile, et, sur l'autre versant, d'autres poètes encore : Pindare, Sannazzaro, Horace, Properce, Tibulle, Catulle, Ovide et, au centre, Arioste : c'est la grande fresque de la poésie et de la beauté. Admirable enfin, et peut-être la plus connue, la fresque dite l'*Ecole d'Athènes*, grandiose allégorie de la philosophie antique qui devance et prépare le christianisme. Puis vient la *Salle de l'Incendie du Borgo* appelée ainsi en raison de la fresque qui représente le Pape Léon IV éteignant miraculeusement un incendie; puis, pour terminer, la *Salle de Constantin* et la *Salle d'Héliodore*, dans laquelle Raphaël a exécuté un autoportrait (voir la fresque d'*Héliodore chassé du Temple*, près du siège du pape, le personnage vêtu d'un long habit noir).

LA RESTAURATION DES FRESQUES DE LA CHAPELLE SIXTINE

La restauration des fresques de Michel-Ange dans la Chapelle Sixtine s'inscrit dans la continuation naturelle des interventions effectuées, entre 1964 et 1974, sur les Histoires de Moïse et du Christ (XVIème siècle) situées sur les murs latéraux. Entre 1979 et 1980, on restaura les réfections du XVIIème siècle des deux épisodes bibliques du mur de l'entrée. Le nettoyage de la voûte de Michel-Ange devait, en principe, être effectué après celui de la série des pontifes. Toutefois, l'état dans lequel se trouvait la lunette de Eleasar Mathan - la couche de peinture était couverte de craquelures - ne permit pas de différer l'intervention; c'est pourquoi, entre 1980 et 1984, en même temps que les papes du Pérugin, de Ghirlandaio, de Botticelli et de Cosimo Rosselli, on nettoya les quatorze lunettes représentant les Ancêtres du Christ.

Les dommages était dus aux contractions provoquées par les variations de température et d'humidité sur la couche de colle que l'on avait appliquée en guise de vernis sur la superficie peinte, lors d'une restauration antérieure. Il s'agissait ainsi de raviver les couleurs assombries par le dépôt progressif de poussière et de fumée, que les méthodes de nettoyage en usage à l'époque (de l'eau, du pain et du vin acidulé) ne parvenaient pas à éclaircir suffisamment. La restauration mit à jour une couleur extrêmement pure et riche en nuances, tout à fait semblable à celle que l'on découvrait, dans les mêmes années, au cours de la restauration attentive et efficace du *Tondo Doni*. La découverte était tellement inattendue que certains se montrèrent incrédules et suscitèrent un moment de vives polémiques en ce qui concernait ce type d'intervention. Après cette première campagne, entre 1985 et 1989, on s'occupa de la voûte proprement dite et son nettoyage confirma les nouveautés apparues sur les lunettes. A partir du printemps 1990 commença la restauration du Jugement dernier qui fournit, elle aussi, une source très appréciable de connaissances nouvelles. En fait, chaque restauration fournit habituellement un nombre d'informations considérables qui permettent de clarifier les modalités du processus créatif et qui offrent des indices ou des preuves concernant les problèmes chronologiques, iconographiques et stylistiques en rapport avec la genèse de l'oeuvre d'art. Tout cela est vrai en général, mais l'est d'autant plus dans le cas des fresques de Michel-Ange sur lesquelles la fumée, la poussière, la saleté et les restaurations successives, pendant presque cinq siècles, avaient déposé une patine manquant de noblesse, mais incontestablement suggestive qui avait contribué à créer la légende de l'artiste mal préparé techniquement. Le nettoyage de la voûte a, au contraire, restitué pleinement l'oeuvre d'un artiste typique de la Renaissance, sculpteur par vocation, peintre et architecte malgré lui, mais doué, en dépit des apparences, d'une éducation artistique tech-nique telle qu'il put affronter l'ouvrage le plus monumental qui ait jamais été confié à un peintre. Et telle qu'il nous a laissé une oeuvre vraiment exceptionnelle au niveau de sa perfection formelle et digne d'un traité sur la peinture murale, au niveau technique. En vrai florentin, Michel-Ange n'eut recours qu'au "bon frais"; à la suite peut-être des problèmes de moisissures qui se posèrent au début, il décida d'épurer progressivement sa palette de certaines couleurs, comme le minium par exemple, qui avaient besoin d'un liant; et il limita l'usage du "sec" aux regrets et aux médaillons monochromes situés au pied des Hommes Nus. En ce qui concerne la technique d'exécution, les méthodes employées, en particulier l'usage de l'émail et des lapis-lazuli, renvoient à l'atelier de Domenico Ghirlandaio où Buonarroti avait été apprenti et où il recruta la plupart des artistes qui l'aidèrent au début: Bugiardini, Jacopo di Sandro avec qui il y eut immédiatement des conflits, Jacopo di Lazzaro Torni surnommé l'Indaco Vecchio, qui remplaça Di Sandro en janvier 1509, et le Granacci, ami d'enfance qui avait introduit Michel-Ange dans l'atelier du Ghirlandaio. Ce n'est certes pas la très brève collaboration de ces "apprentis" qui a permis à Michel-Ange d'apprendre la technique si difficile du "bon frais". Ils n'ont sans doute contribué qu'à "rafraîchir" les connaissances que l'artiste avait assimilées à l'atelier du Ghirlandaio. Ils l'ont également aidé à organiser le travail et ils réalisèrent les éléments décoratifs des corniches, ainsi que certaines figures des histoires de Noé, toujours sous le contrôle vigilant de Buonarroti. Leurs interventions n'échappent pas à l'oeil attentif, car elles se distinguent par leur technique picturale différente et par leur qualité nettement inférieure par rapport aux parties présumées autographes. En effet, la contribution de Michel-Ange, même celle de la phase initiale, reste toujours à un niveau de qualité très élevé, pratiquement irréalisable par aucun autre. Les collaborateurs travaillèrent jusqu'à l'automne 1509. Mais, arrivés à la représentation du Péché originel, en raison de la grandeur des figures et des rythmes de composition, il fut impossible que tout l'atelier puisse travailler sur l'échafaudage, même de façon partiellement autonome. De sorte que Michel-Ange renvoya chez eux ses apprentis les plus habiles, surtout Granacci et Bugiardini, d'autant plus que, par le contrat, tous les frais étaient à sa charge, et qu'il n'y avait aucune raison de les garder sans pouvoir les employer au mieux. Comme l'indiquaient les sources et la correspondance, la restauration a également permis de prouver qu'il y eut effectivement une pause dans les travaux pendant l'été 1510, tout de suite après que l'artiste eut réalisé la Création d'Eve, en dessous de laquelle se trouvait, de façon significative, la grille de marbre séparant les laïcs du clergé. Les données recueillies prouvent encore qu'après avoir repris le travail en automne 1511, le rythme d'exécution s'accéléra considérablement. Et, par exemple, la lunette de Roboam Abias ainsi que la scène de la Séparation de la Lumière et des Ténèbres furent réalisées en une seule journée. Pour les scènes de la Genèse au centre de la voûte et pour les groupes figuratifs des voiles, cette accélération fut sans doute possible en raison de l'utilisation de la gravure indirecte au lieu du ponçage, pratiquement constant dans les fresques réalisées avec le premier échafaudage. Grâce à ce nettoyage, il est devenu évident que Michel-Ange exerça une profonde influence sur ses contemporains non seulement sur Raphaël et son entourage en particulier Jules Romain, mais aussi sur le maniérisme florentin de Rosso, du Pontormo, d'Andrea del Sarto et de Beccafumi qui furent influencés au niveau formel, mais aussi au niveau chromatique, ce que l'on ne savait pas jus-que là. Sous la patine séculaire qui couvrait la voûte apparaît ainsi un artiste tout à fait florentin, à la fois par sa formation, par les résultats qu'il obtient, et surtout par le caractère subtilement intellectuel qui imprègne ses images et son goût chromatique. Par contre celui qui peignit, vingt ans après, le Jugement dernier apparaît très différent. Techniquement en effet, Michel-Ange réalisa la composition en "bon frais" comme la voûte, mais la palette s'est enrichie car, outre les terres habituelles, il a utilisé la laque rouge, le jaunet et l'orpiment Pour les bleus du ciel, on retrouve les onéreux lapis-lazuli qu'il s'était sans doute permis de choisir puisque les frais étaient soutenus par le pontife et ne pesaient plus sur l'artiste La présence de ces lapis-lazuli revêt une importance fondamentale, car elle confère à la tonalité générale une note plus chaude Elle atteste, en outre, une transformation de la sensibilité de Buonarroti notamment au contact de Seba-stiano del Piombo depuis une vingtaine d'années, mais aussi à la suite de son voyage à Venise en 1529. Bien que de culture florentine, l'artiste n'en suivit pas moins, plus tard, le courant des nouveautés concernant la lumière et la couleur apporté par l'école vénitienne. Il manifesta de la sorte toute son attention envers le monde qui l'entourait, et fit preuve d'une grande ouverture d'esprit à l'égard d'un milieu culturel sur lequel il avait par ailleurs, exprimé certaines réserves.

Fabrizio Mancinelli

(cfr. *Michel-Ange peintre, sculpteur et architecte*, ATS Italia Editrice - F.Papafava Editore) n'est certes pas la très brève collaboration de ces "apprentis" qui a permis à Michel-Ange d'apprendre la technique si difficile du "bon frais". Ils n'ont sans doute contribué qu'à "rafraîchir" les connaissances que l'artiste avait assimilées à l'atelier du Ghirlandaio. Ils l'ont également aidé à organiser le travail et ils réalisèrent les éléments décoratifs des corniches, ainsi que certaines figures des histoires de Noé, toujours sous le contrôle vigilant de Buonarroti. Leurs interventions n'échappent pas à l'oeil attentif, car elles se distinguent par leur technique picturale différente et par leur qualité nettement inférieure par rapport aux parties présumées autographes. En effet, la contribution de Michel-Ange, même celle de la phase initiale, reste toujours à un niveau de qualité très élevé, pratiquement irréalisable par aucun autre. Les collaborateurs travaillèrent jusqu'à l'automne 1509. Mais, arrivés à la représentation du Péché originel, en raison de la grandeur des figures et des rythmes de composition, il fut impossible que tout l'atelier puisse travailler sur l'échafaudage, même de façon partiellement autonome. De sorte que Michel-Ange renvoya chez eux ses apprentis les plus habiles, surtout Granacci et Bugiardini, d'autant plus que, par le contrat, tous les frais étaient à sa charge, et qu'il n'y avait aucune raison de les garder sans pouvoir les employer au mieux. Comme l'indiquaient les sources et la correspondance, la restauration a également permis de prouver qu'il y eut effectivement une pause dans les travaux pendant l'été 1510, tout de suite après que l'artiste eut réalisé la Création d'Eve, en dessous de laquelle se trouvait, de façon significative, la grille de marbre séparant les laïcs du clergé. Les données recueillies prouvent encore qu'après avoir repris le travail en automne 1511, le rythme d'exécution s'accéléra considérablement. Et, par exemple, la lunette de Roboam Abias ainsi que la scène de la Séparation de la Lumière et des Ténèbres furent réalisées en une seule journée. Pour les scènes de la Genèse au centre de la voûte et pour les groupes figuratifs des voiles, cette accélération fut sans doute possible en raison de l'utilisation de la gravure indirecte au lieu du ponçage, pratiquement constant dans les fresques réalisées avec le premier échafaudage. Grâce à ce nettoyage, il est devenu évident que Michel-Ange exerça une profonde influence sur ses contemporains non seulement sur Raphaël et son entourage en particulier Jules Romain, mais aussi sur le maniérisme florentin de Rosso, du Pontormo d'Andrea del Sarto et de Beccafumi qui furent influencés au niveau formel, mais aussi au niveau chromatique, ce que l'on ne savait pas jus-que là. Sous la patine séculaire qui couvrait la voûte apparaît ainsi un artiste tout à fait florentin, à la fois par sa formation, par les résultats qu'il obtient, et surtout par le caractère subtilement intellectuel qui imprègne ses images et son goût chromatique. Par contre celui qui peignit, vingt ans après, le Jugement dernier apparaît très différent. Techniquement en effet, Michel-Ange réalisa la composition en "bon frais" comme la voûte, mais la palette s'est enrichie car, outre les terres habituelles, il a utilisé la laque rouge, le jaunet et l'orpiment Pour les bleus du ciel, on retrouve les onéreux lapis-lazuli qu'il s'était sans doute permis de choisir puisque les frais étaient soutenus par le pontife et ne pesaient plus sur l'artiste La présence de ces lapis-lazuli revêt une importance fondamentale, car elle confère à la tonalité générale une note plus chaude Elle atteste, en outre, une transformation de la sensibilité de Buonarroti notamment au contact de Seba-stiano del Piombo depuis une vingtaine d'années, mais aussi à la suite de son voyage à Venise en 1529. Bien que de culture florentine, l'artiste n'en suivit pas moins, plus tard, le courant des nouveautés concernant la lumière et la couleur apporté par l'école vénitienne. Il manifesta de la sorte toute son attention envers le monde qui l'entourait, et fit preuve d'une grande ouverture d'esprit à l'égard d'un milieu culturel sur lequel il avait par ailleurs, exprimé certaines réserves.

Fabrizio Mancinelli

(cfr. *Michel-Ange peintre, sculpteur et architecte*, ATS Italia Editrice - F.Papafava Editore

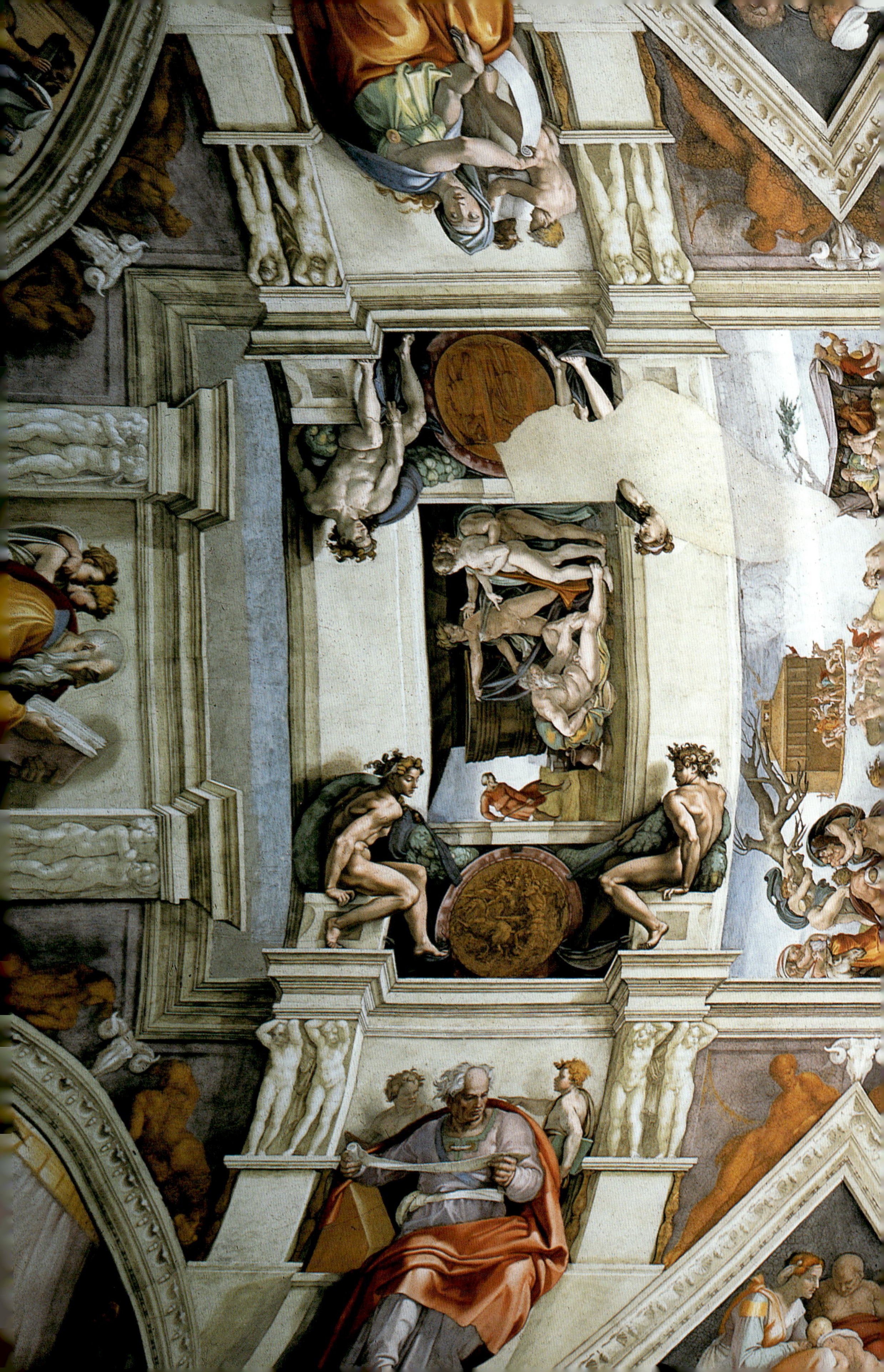

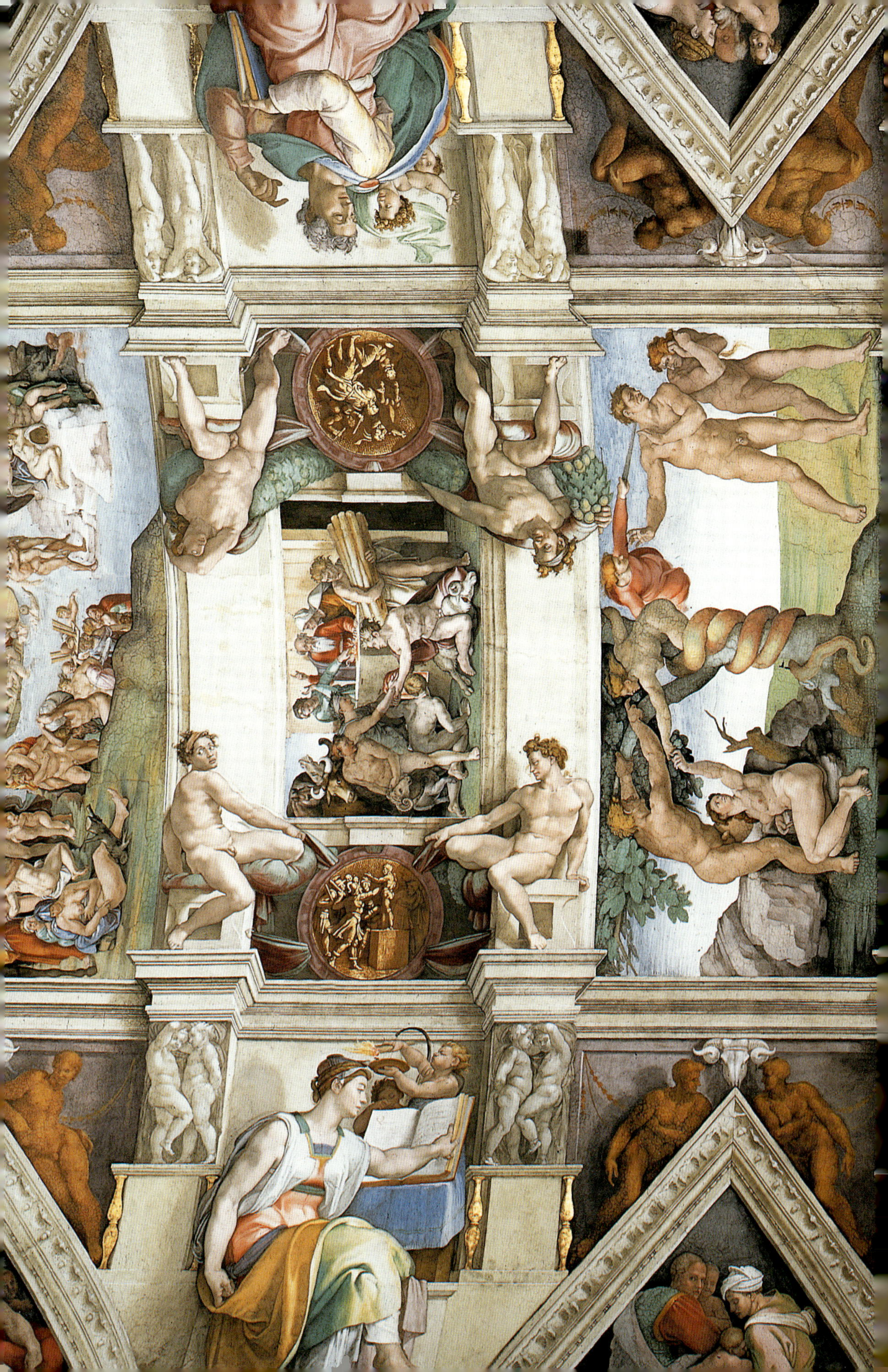

LA RESTAURATION DES FRESQUES DE LA CHAPELLE SIXTINE

La restauration des fresques de Michel-Ange dans la Chapelle Sixtine s'inscrit dans la continuation naturelle des interventions effectuées, entre 1964 et 1974, sur les Histoires de Moïse et du Christ (XVIème siècle) situées sur les murs latéraux. Entre 1979 et 1980, on restaura les réfections du XVIIème siècle des deux épisodes bibliques du mur de l'entrée. Le nettoyage de la voûte de Michel-Ange devait, en principe, être effectué après celui de la série des pontifes. Toutefois, l'état dans lequel se trouvait la lunette de Eleasar Mathan - la couche de peinture était couverte de craquelures - ne permit pas de différer l'intervention; c'est pourquoi, entre 1980 et 1984, en même temps que les papes du Pérugin, de Ghirlandaio, de Botticelli et de Cosimo Rosselli, on nettoya les quatorze lunettes représentant les Ancêtres du Christ.

Les dommages était dus aux contractions provoquées par les variations de température et d'humidité sur la couche de colle que l'on avait appliquée en guise de vernis sur la superficie peinte, lors d'une restauration antérieure. Il s'agissait ainsi de raviver les couleurs assombries par le dépôt progressif de poussière et fumée, que les méthodes de nettoyage en usage à l'époque (de l'eau, du pain et du vin acidulé) ne parvenaient pas à éclaircir suffisamment. La restauration mit à jour une couleur extrêmement pure et riche en nuances, tout à fait semblable à celle que l'on découvrait, dans les mêmes années, au cours de la restauration attentive et efficace du *Tondo Doni*. La découverte était tellement inattendue que certains se montrèrent incrédules et suscitèrent un moment de vives polémiques en ce qui concernait ce type d'intervention. Après cette première campagne, entre 1985 et 1989, on s'occupa de la voûte proprement dite et son nettoyage confirma les nouveautés apparues sur les lunettes. A partir du printemps 1990 commença la restauration du Jugement dernier qui fournit, elle aussi, une source très appréciable de connaissances nouvelles. En fait, chaque restauration fournit habituellement un nombre d'informations considérables qui permettent de clarifier les modalités du processus créatif et qui offrent des indices ou des preuves concernant les problèmes chronologiques, iconographiques et stylistiques en rapport avec la genèse de l'oeuvre d'art. Tout cela est vrai en général, mais l'est d'autant plus dans le cas des fresques de Michel-Ange sur lesquelles la fumée, la poussière, la saleté et les restaurations successives, pendant presque cinq siècles, avaient déposé une patine manquant de noblesse, mais incontestablement suggestive qui avait contribué à créer la légende de l'artiste mal préparé techniquement. Le nettoyage de la voûte a, au contraire, restitué pleinement l'oeuvre d'un artiste typique de la Renaissance, sculpteur par vocation, peintre et architecte malgré lui, mais doué, en dépit des apparences, d'une éducation artistique tech-nique telle qu'il put affronter l'ouvrage le plus monumental qui ait jamais été confié à un peintre. Et telle qu'il nous a laissé une oeuvre vraiment exceptionnelle au niveau de sa perfection formelle et digne d'un traité sur la peinture murale, au niveau technique. En vrai florentin, Michel-Ange n'eut recours qu'au "bon frais"; à la suite peut-être des problèmes de moisissures qui se posèrent au début, il décida d'épurer progressivement sa palette de certaines couleurs, comme le minium par exemple, qui avaient besoin d'un liant; et il limita l'usage du "sec" aux regrets et aux médaillons monochromes situés au pied des Hommes Nus. En ce qui concerne la technique d'exécution, les méthodes employées, en particulier l'usage de l'émail et des lapis-lazuli, renvoient à l'atelier de Domenico Ghirlandaio où Buonarroti avait été apprenti et où il recruta la plupart des artistes qui l'aidèrent au début: Bugiardini, Jacopo di Sandro avec qui il y eut immédiatement des conflits, Jacopo di Lazzaro Torni surnommé l'Indaco Vecchio, qui remplaça Di Sandro en janvier 1509, et le Granacci, ami d'enfance qui avait introduit Michel-Ange dans l'atelier du Ghirlandaio. Ce

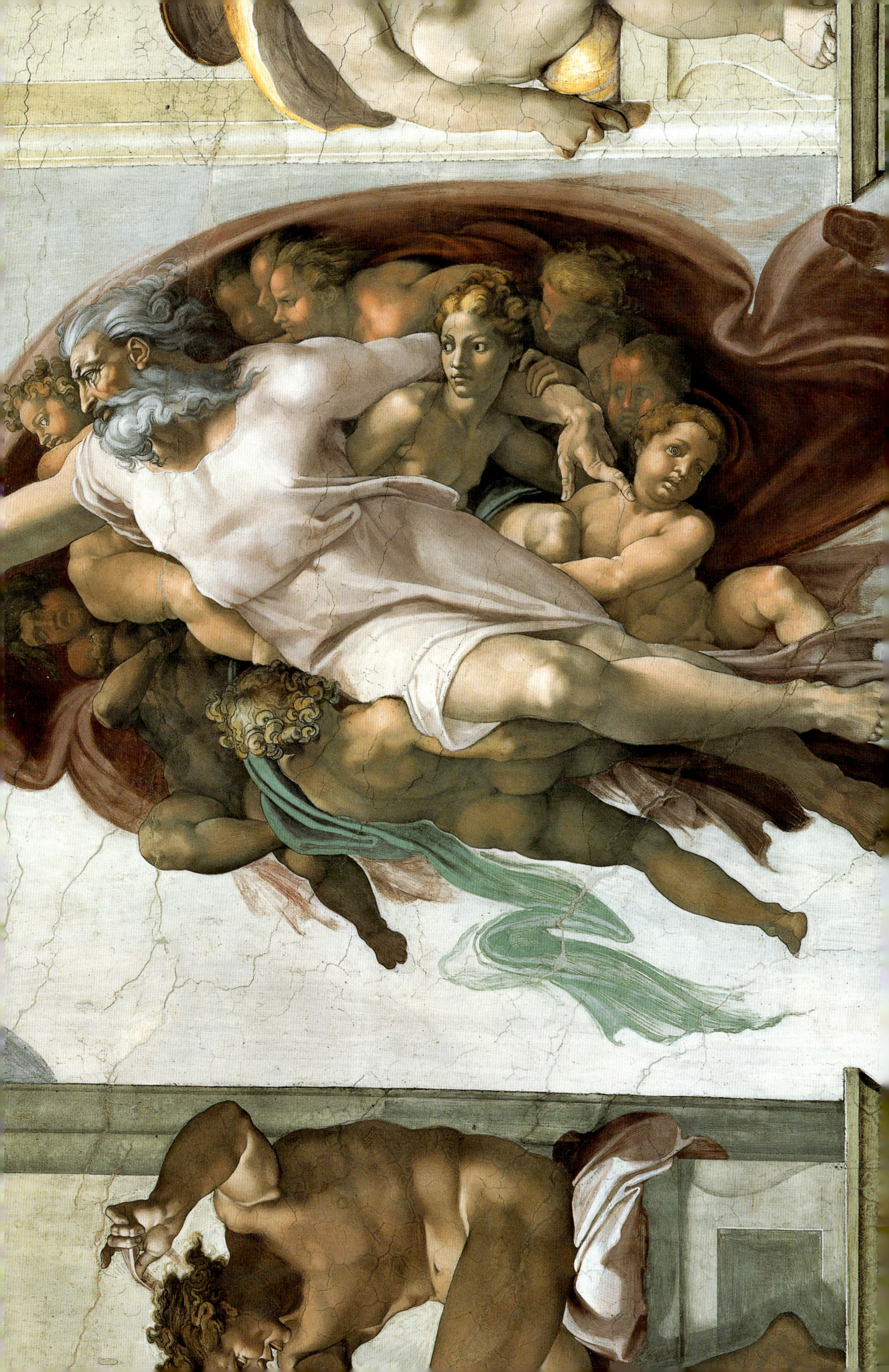

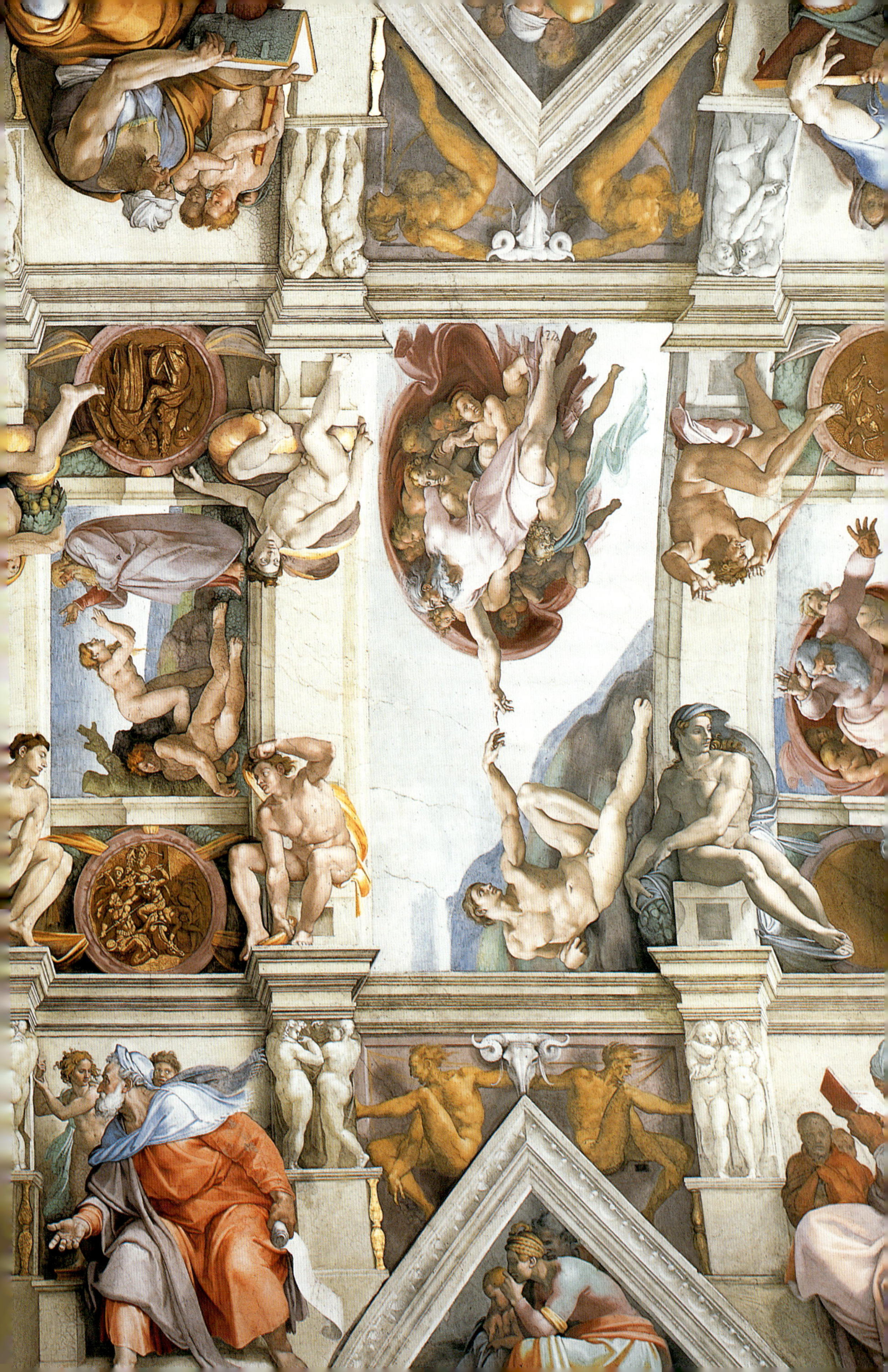

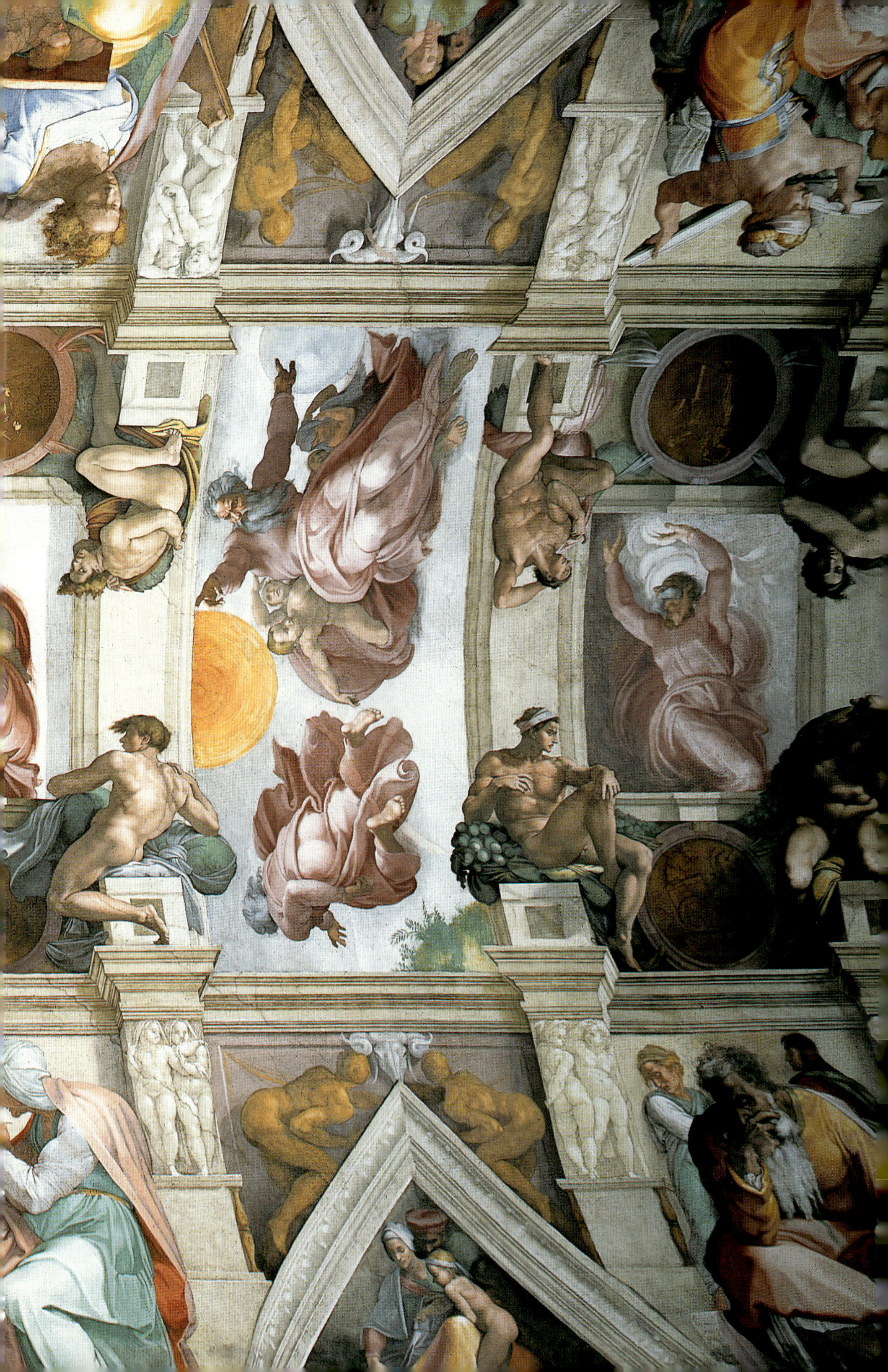

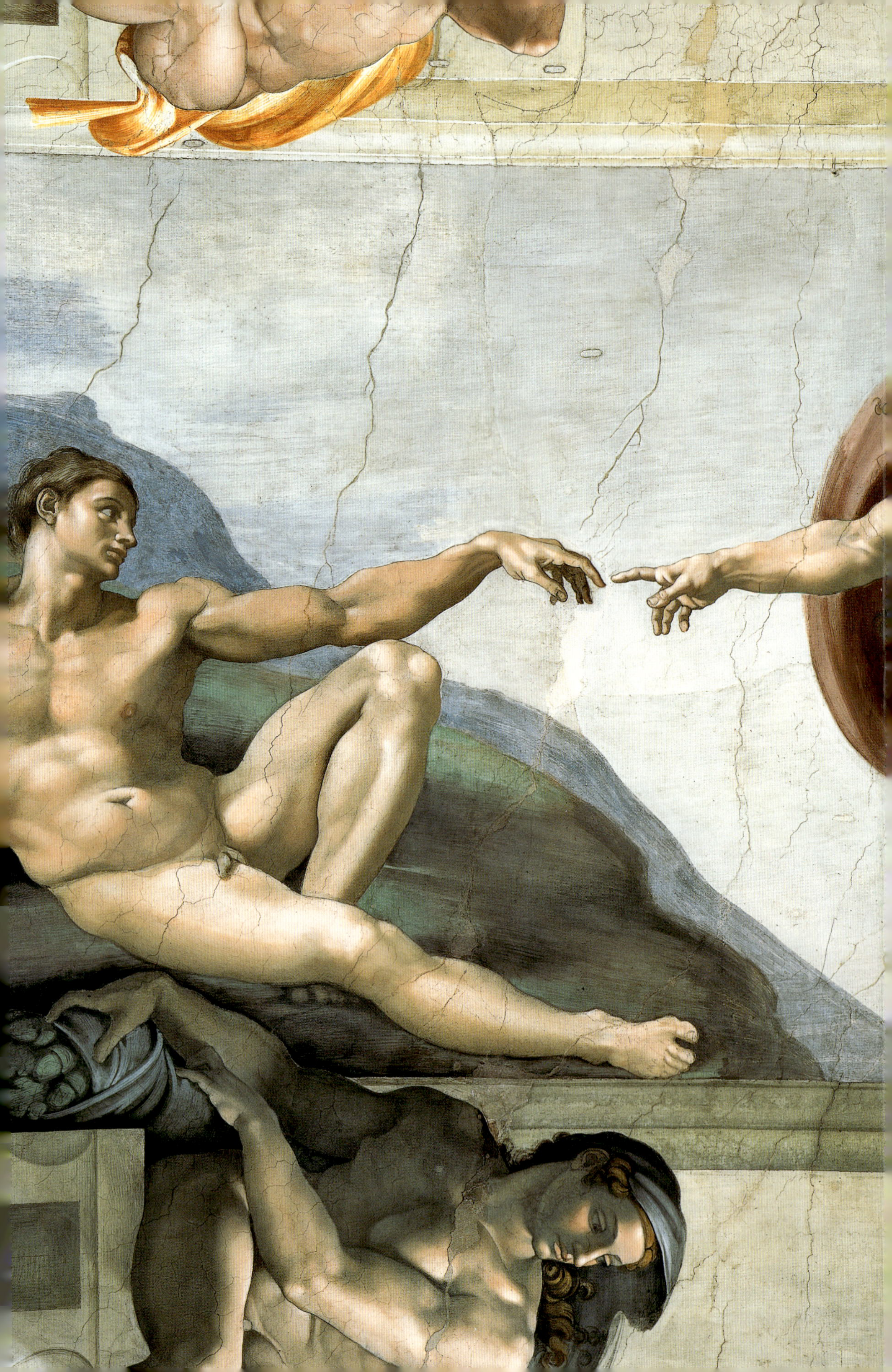

◁ Michel-Ange, Voûte de la Chapelle Sixtine, Création d'Adam   Voûte de la Chapelle Sixtine, L'exclusion du Paradis Terrestre

La Chapelle Sixtine

La Chapelle (qui mesure 40,23 mètres de long, 20,70 mètres de haut et 13,41 mètres de large) fut construite à la fin du XVe siècle, imitant l'Arc de Noé de Giovannino de' Dolci. Les parois latérales furent décorées de fresques (12 tableaux), avec, à gauche, la Vie de Moïse, et à droite, la Vie de Jésus, oeuvre de Pérugin, Pinturicchio, Botticelli, Signorelli et Ghirlandaio. Mais le plus grand chef-d'oeuvre, qui fait encore l'admiration du monde entier sont les fresques de la voûte, réalisées par Michel-Ange pour le Pape Jules II, entre 1508 et 1512, et l'admirable et terrible *Jugement Dernier* peint pour Paul III, vers 1540.

L'ensemble des personnages et des scènes bibliques qui envahissent les fresques de la voûte, oeuvre titanesque que Michel-Ange Buonarroti exécuta entièrement seul jusqu'au bout, peignant dans une position extrêmement inconfortable, est d'une éloquence grandiose. Des "ignudi"

Michel-Ange, Voûte de la Chapelle Sixtine, détail, le Prophète Ezéchiel

Michel-Ange, Voûte de la Chapelle Sixtine, détail, le Prophète Joël

Michel-Ange, Voûte de la Chapelle Sixtine, détail, Sibylle de Delphes

Michel-Ange, Le Jugement Dernier ▷

puissants, dans les positions les plus variées, partagent et rythment les tableaux qui abritent les scènes développant le grand thème iconographique qui va de l'Histoire de la Création et du Péché jusqu'à la Rédemption finale. Voici donc la *Création d'Adam* où le doigt de Dieu et celui du premier homme à qui Dieu donne le souffle de vie, se joignent presque; puis d'autres tableaux splendides : *Dieu sépare la lumière et les ténèbres*; la *Création du soleil et de la lune*; *Dieu sépare les eaux de la terre*; la *Création de la femme*; *le péché originel*; la dramatique et très célèbre exclusion du *Paradis terrestre* (il s'agit d'une fresque unique); *l'histoire de Caïn et Abel*, *le Déluge*; *l'ivresse de Noé*.

De part et d'autre de cet ensemble grandiose, entre les pendentifs, ont été placées les figures puissantes des sept Prophètes et des cinq Sibylles. Le magnifique et immense *Jugement Dernier*, sur le mur du fond, est peut-être encore plus célèbre. Il n'y a qu'une seule scène, mais celle-ci est composée de 391 personnages qui tournent autour de la majestueuse représentation du Christ Juge : près de lui et au-dessus, les élus qui ressuscitent au son des trompettes, en bas, les damnés sont conduits en enfer par Caron et Minos.

Les personnages, presque tous nus, sont très musclés et gigantesques. L'ensemble, à la fois pesant et comme suspendu, composé de mille scènes extrêmement expressives, tourne comme s'il était pris dans un tourbillon. Même dans ses chefs-d'œuvre, l'art a rarement réussi à exprimer de manière aussi dramatique le destin humain et surnaturel de l'homme.

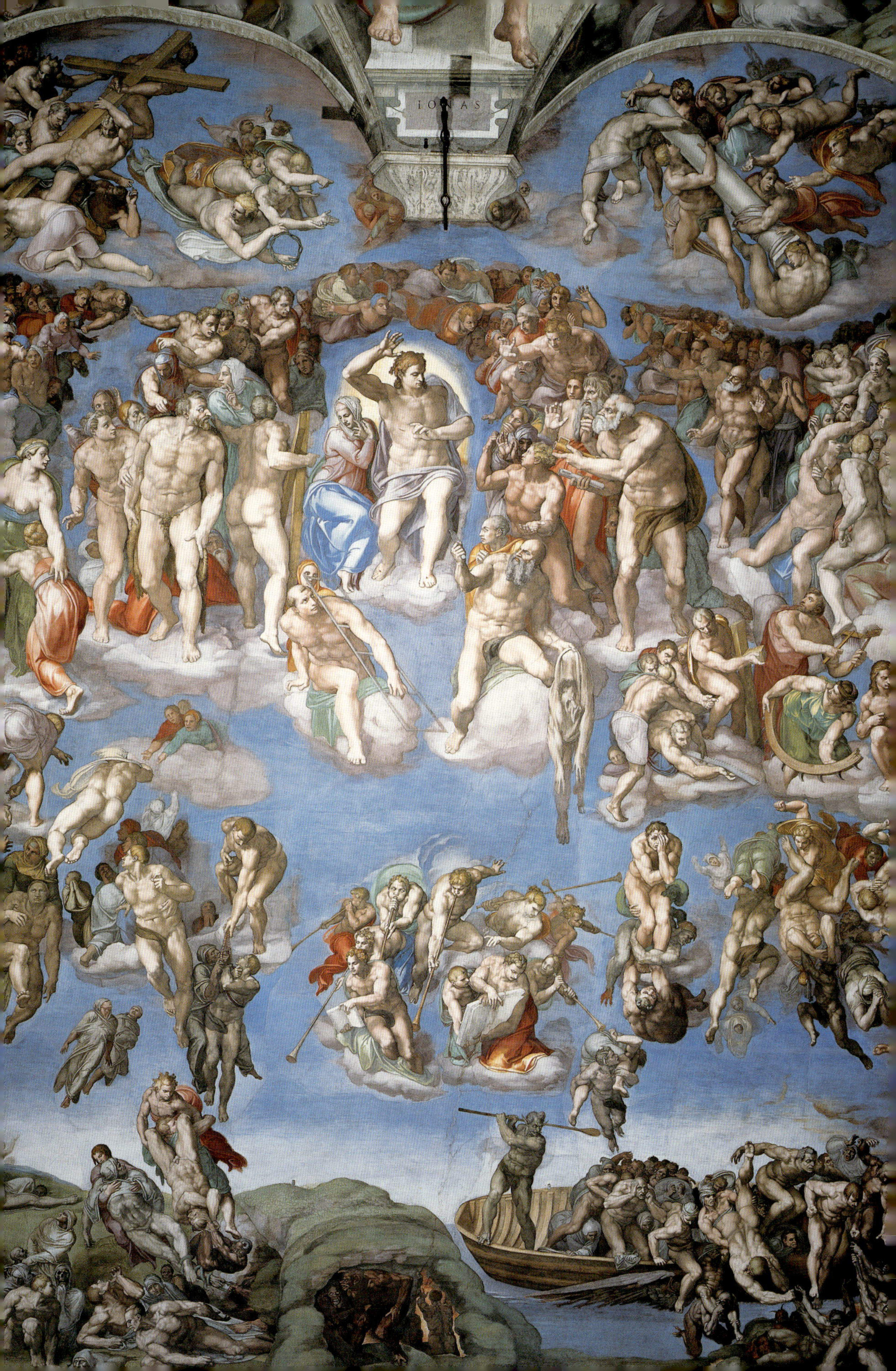
IONAS

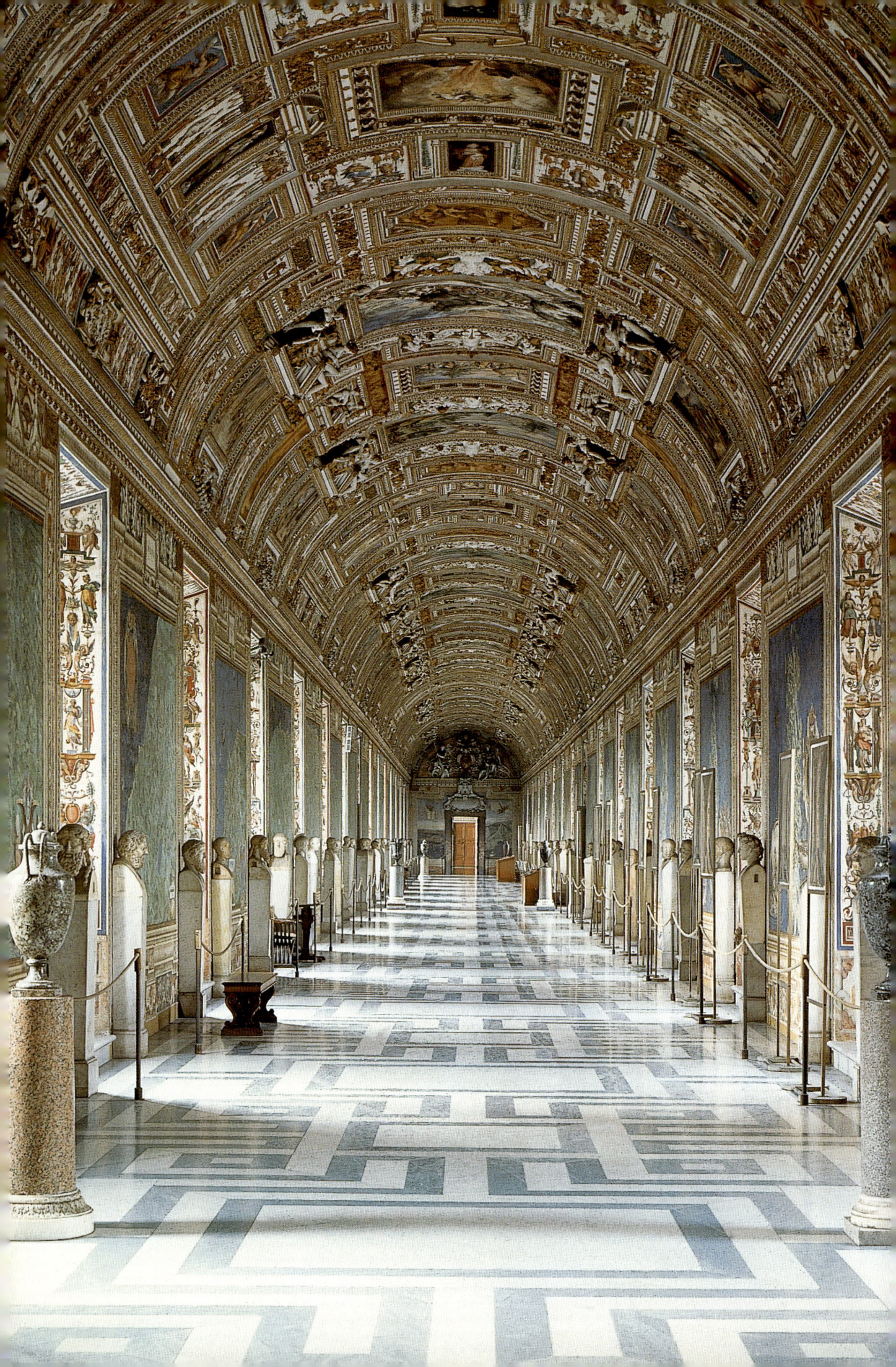

◁ Galerie des Cartes de Géographie

Danti, Italie Antique

... et la visite continue

La visite des Palais du Vatican contient d'autres surprises intéressantes. On peut visiter la *Galerie des cartes de géographie*, la *Galerie des tapisseries*, la *Galerie des candélabres* et la *Salle du Bige* (appelée ainsi à cause d'un beau bige – char à deux chevaux – remontant au Ie siècle avant J.C.).

ÉGLISES ET BASILIQUES

◁ Façade   Nef centrale

Saint-Jean-de-Latran

La Basilique Saint-Jean-de-Latran est peut-être la plus ancienne du christianisme mais c'est surtout la plus importante après Saint-Pierre, car c'est la Cathédrale de Rome : à la croisée du transept et de la nef est situé un autel où seul le Saint Père, évêque de Rome, peut célébrer la messe. Comme dans toutes les basiliques majeures, l'entrée est ornée d'un grand porche où se trouve la *statue de Constantin*. La Basilique possède cinq portes. Celle qui se trouve à l'extrême droite est ouverte uniquement pour l'année sainte, comme à Saint-Pierre.

La façade de Saint-Jean-de-Latran est le chef-d'oeuvre

XIII · CELLAM · MAXIMAM · VETVSTATE · FATISCENTEM · INGENTI · MOLITIONE · PRODVCENDAM · LAXANDAMQVE · CV
VETVS · MVSIVVM · MVLTIS · IAM · ANTEA · PARTIBVS · INSTAVRATVM · AD · ANTIQVVM · EXEMPLAR · RESTIT
IN · NOVAM · ABSIDEM · OPERE · CVLTVQVE · MAGNIFICO · EXORNATAM · TRANSFERRI · AVLAM · TRANSVE
QVEARI · ET · CONTIGNATIONE · REFECTIS · EXPOLIRI · IVSSIT · ANNO · CHR · MDCCLXXXIV · SACRI · PRIN

◁ Abside Baptistère

d'Alessandro Galilei. Elle fut exécutée en 1732-1735. Elle est très marquée par un style situé entre le baroque et le néoclassicisme. Quinze statues colossales, dont celle du Christ qui domine, surmontent la façade.
L'intérieur est séduisant et grandiose. La Basilique, à cinq nefs, fut construite en 1650 par Francesco Borromini. Le *transept* qui abrite un *tabernacle* splendide, oeuvre de Giovanni di Stefano est en revanche antérieur. Du côté gauche du transept on passe dans l'extraordinaire cloître, véritable chef-d'oeuvre réalisé au XIIIe siècle par Vassalletto.
Le très ancien Baptistère, érigé par Constantin en même temps que la Basilique, est tout proche. Il a une forme octogonale avec au centre une urne de basalte vert, qui servait de fonts baptismaux.

Façade   Nef centrale, Baldaquin ▷

Sainte-Marie-Majeure

Grandiose sur l'Esquilin, Sainte-Marie-Majeure remonte au pontificat de Sixte II, dans la première moitié du XVe siècle. Elle possède entre autres un *campanile roman*, le plus haut de Rome (75 mètres). L'église fut dotée d'une belle façade à cinq arcades avec loggia, réalisée par Ferdinando Fuga vers la moitié du XVIIIe (dans la loggia ont été conservées de belles *mosaïques* d'une façade antérieure). C'est une basilique à trois nefs, avec un beau pavement à motifs géométriques. Le *plafond à caissons* est de Giuliano da Sangallo.

Le long de la nef centrale furent placés 36 cadres de mosaïques, remontant au Ve siècle, avec des *scènes de l'Ancien Testament*. Les mosaïques de l'Arc triomphal qui représentent la Vie de *Jésus et de la Vierge* sont également

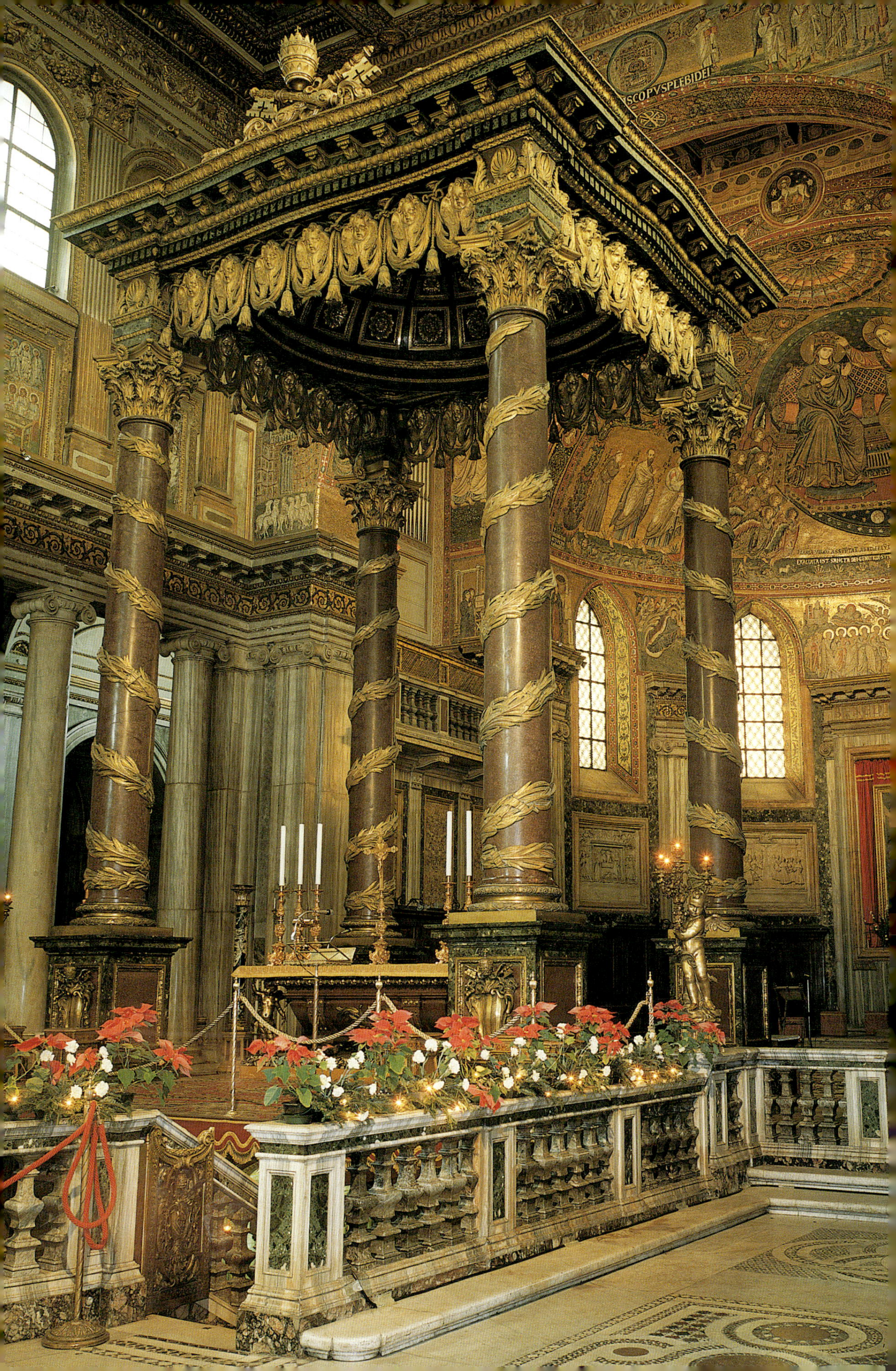

MARIA·VIRGO·ASSVPTA·E·AD·ETHEREV·THALAMV·IN·QVO·REX·REGV·STELLATO·SEDET·SOLIO·
EXALTATA·E·S·SANCTA·DEI·GENITRIX·SVPER·CHOROS·ANGELORV·AD·CELESTIA·REGNA

◁ Mosaïque de l'abside

Chapelle Sixtine, intérieur

splendides ainsi que celles de l'abside, oeuvre de Jacopo Torriti (1295, avec le *Triomphe de Marie*). Il s'agit d'un ensemble de mosaïques qui, pour le nombre de siècles qu'il recouvre, est l'un des plus précieux qui ait été conservé.

Les Chapelles de la Basilique sont également remarquables : la *Chapelle Sixtine* (réalisée par *Domenico Fontana* par Sixte V) et la *Chapelle Pauline* (construite par *Flaminio Ponzio* pour Paul V).

Façade   Nef centrale ▷

Saint-Paul-Hors-les-Murs

D'une longueur de 130 mètres et d'une largeur de 65 mètres, c'est la Basilique la plus grande de Rome après Saint-Pierre. Commencée sous Constantin, elle fut achevée en 395. Au fil des siècles, elle s'est enrichie de peintures et de fresques jusqu'à ce qu'en juillet 1823 un terrible incendie la détruise presque entièrement. Elle fut entièrement reconstruite selon les plans d'origine. Seul le porche qui la précède, dit des Cent Colonnes, fut refait (1928). La Basilique renferme de nombreux trésors : La *Mosaïque de l'abside* (de facture byzantino-vénitienne), le *Ciboire* gothique d'Arnolfo di Cambio, dans la *Chapelle du Saint Sacrement*, la *mosaïque* représentant la Vierge. A voir également, la fresque qui

TEODOSIVS CEPIT PERFECIT ONORIVS AVLAM
DOCTORIS MVNDI SACRATAM CORPORE PAVLI
PLACIDIAE PIA MENS OPERIS DECVS HOMNE PATERNI
GAVDET PONTIFICIS STVDIO SPLENDERE LEONIS

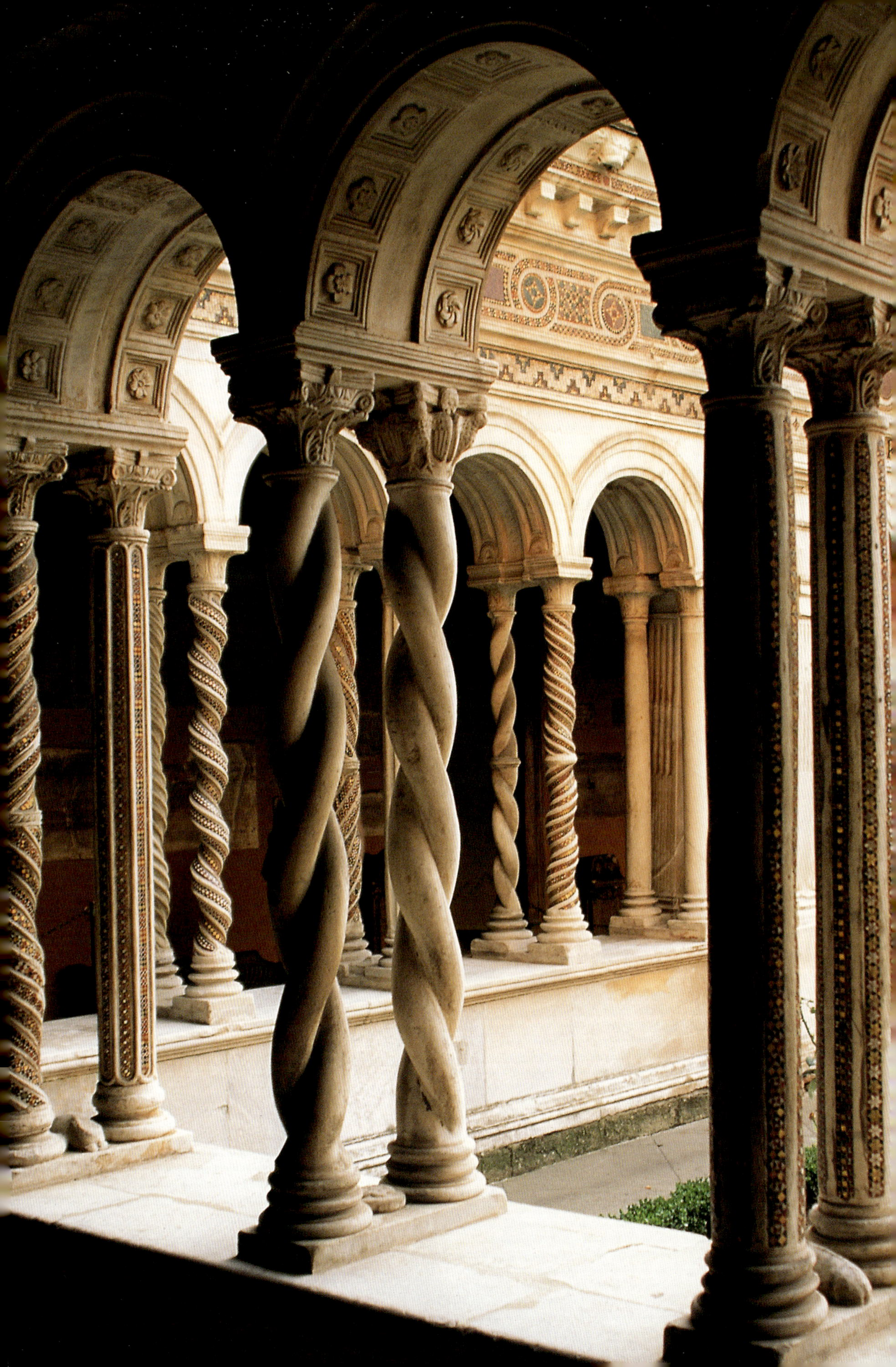

◁ Cloître Détail de la colonne

reprend les portraits des papes dans des médaillons de mosaïques. Absolument remarquable, l'*Arc triomphal*, au fond de la nef centrale et les *battants en bronze* de la Porte Sainte d'origine byzantine. Enfin, un véritable chef-d'oeuvre : le très élégant cloître avec des *marbres polychromes*, des *mosaïques* et des *colonnes*, lisses et torses.

Michel-Ange, Tombe du Pape Jules II   Moïse ▷

Saint-Pierre-aux-Liens

Cette église, d'origine très ancienne, fut érigée au IV⁰ siècle. C'était une basilique dédiée aux apôtres. Elle fut ensuite complètement rénovée par le Pape Jules II à la fin du XV⁰. Elle doit son nom (in"Vincoli") à la *relique* qu'elle abrite, les chaînes qui furent mises à Pierre à Jérusalem puis à Rome (conservées dans une châsse en bronze doré). La deuxième attraction importante de l'église est le *Mausolée de Jules II* auquel Michel-Ange travailla – sans le terminer – dans les années 1513-16, et qui aurait dû être installé à Saint Pierre. La très célèbre sculpture représentant *Moïse*, réalisée par Michel-Ange, se trouve également là. Michel-Ange sculpta ensuite deux *Prisons*, actuellement au Louvre.

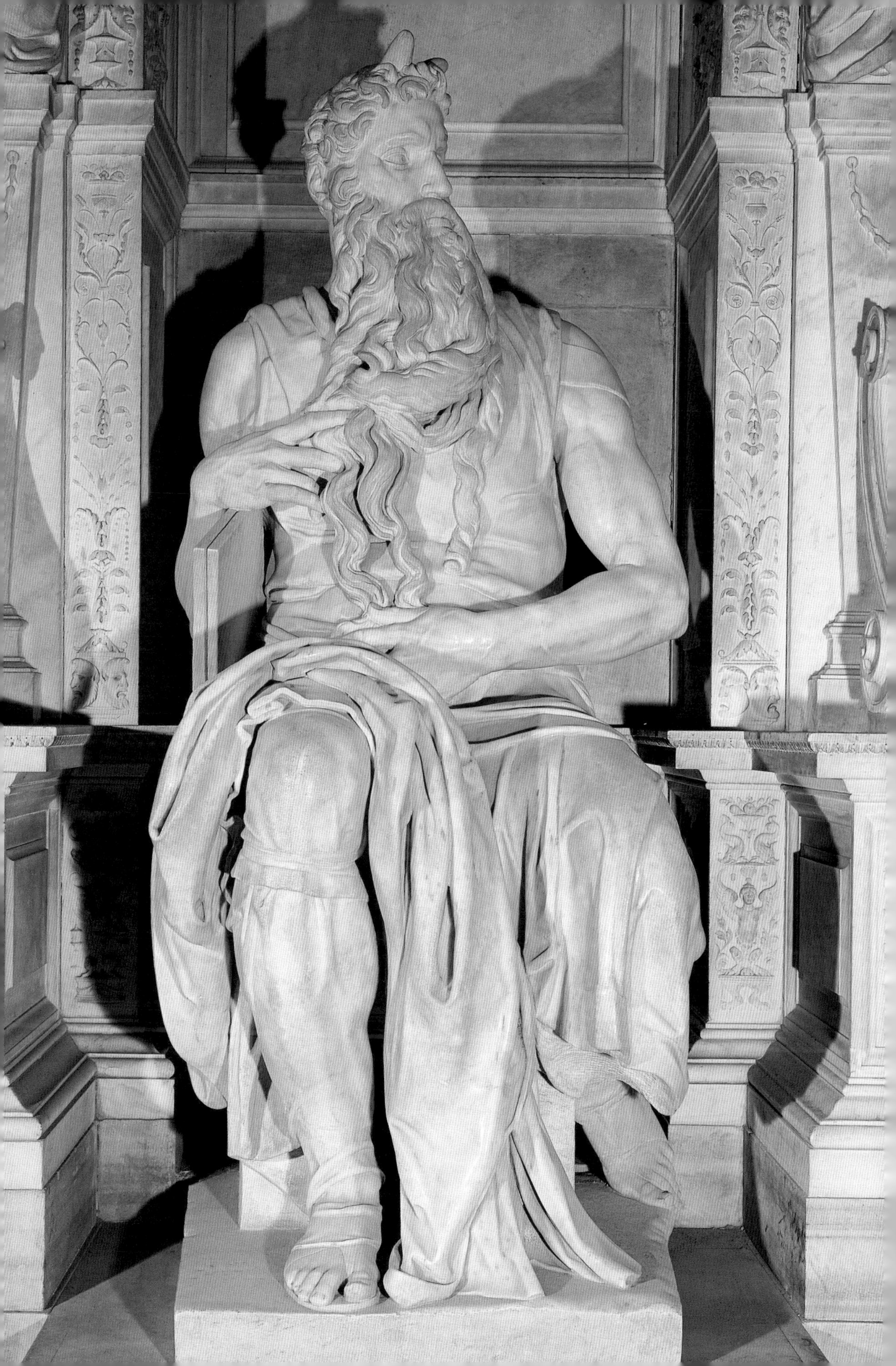

Façade　　　　　　　　　　　　　　　　　　　　　　　　　　　　　　　　Mosaïque de l'abside ▷

Santa Maria in Trastevere

Première église dédiée à la Vierge. Il s'agit de l'une des plus anciennes de Rome. Elle a subi de nombreuses transformations depuis sa construction en 340 après J.C. jusqu'à sa récente restauration, au XIXe, qui n'est pas particulièrement remarquable. Elle fut construite à trois nefs, et Innocent II la fit reconstruire au XIIe siècle, en lui donnant sa structure définitive et en décorant

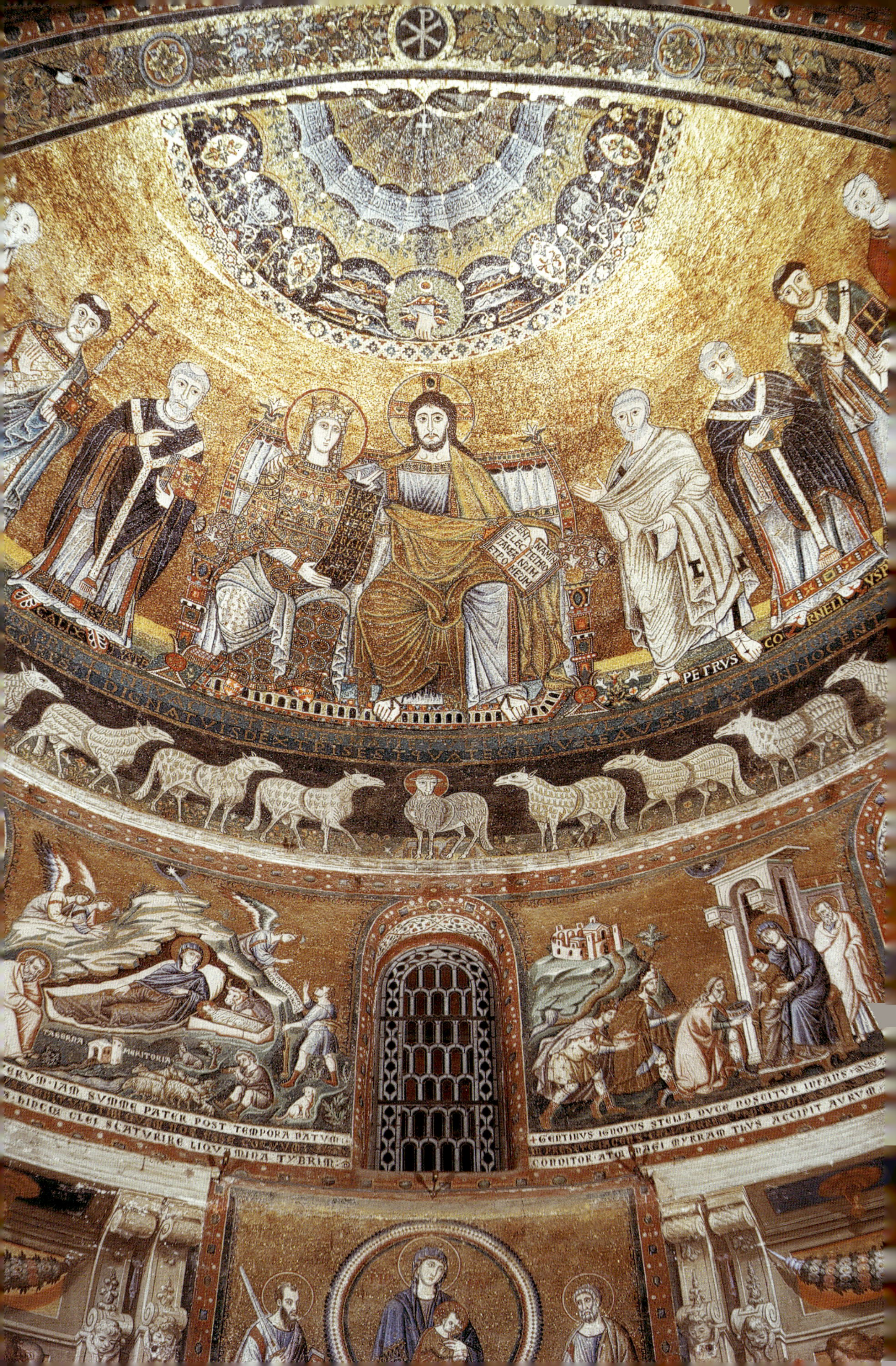
PETRVS
TABERNA
MERITORIA

Cavallini Pietro, Naissance de Marie

l'abside de splendides mosaïques d'influence byzantine. Celles-ci représentent, sur l'arc triomphal, les *Prophètes*, les *symboles des Evangélistes*, les *Candélabres de l'Apocalypse*, la *Croix*. Dans la calotte de l'abside, la *mosaïque du Christ qui couronne la*

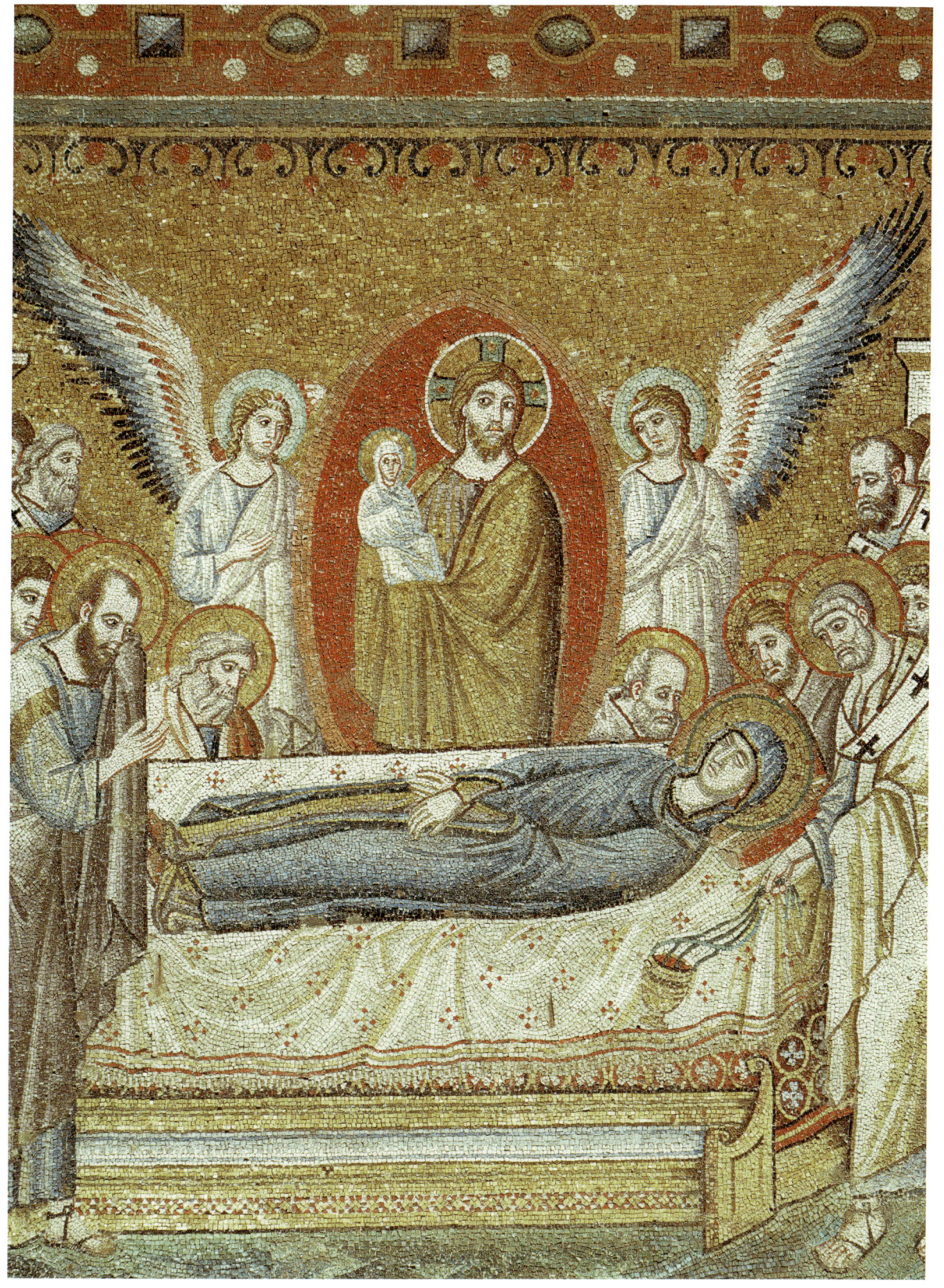

Cavallini Pietro, Mort de Marie

Vierge, est magnifique. Sous les mosaïques, le *cycle de la vie de Marie*, réalisé par Pietro Cavallini à la fin du XIIIe siècle. L'église se trouve dans le quartier du Trastevere, centre du plus pur esprit populaire.

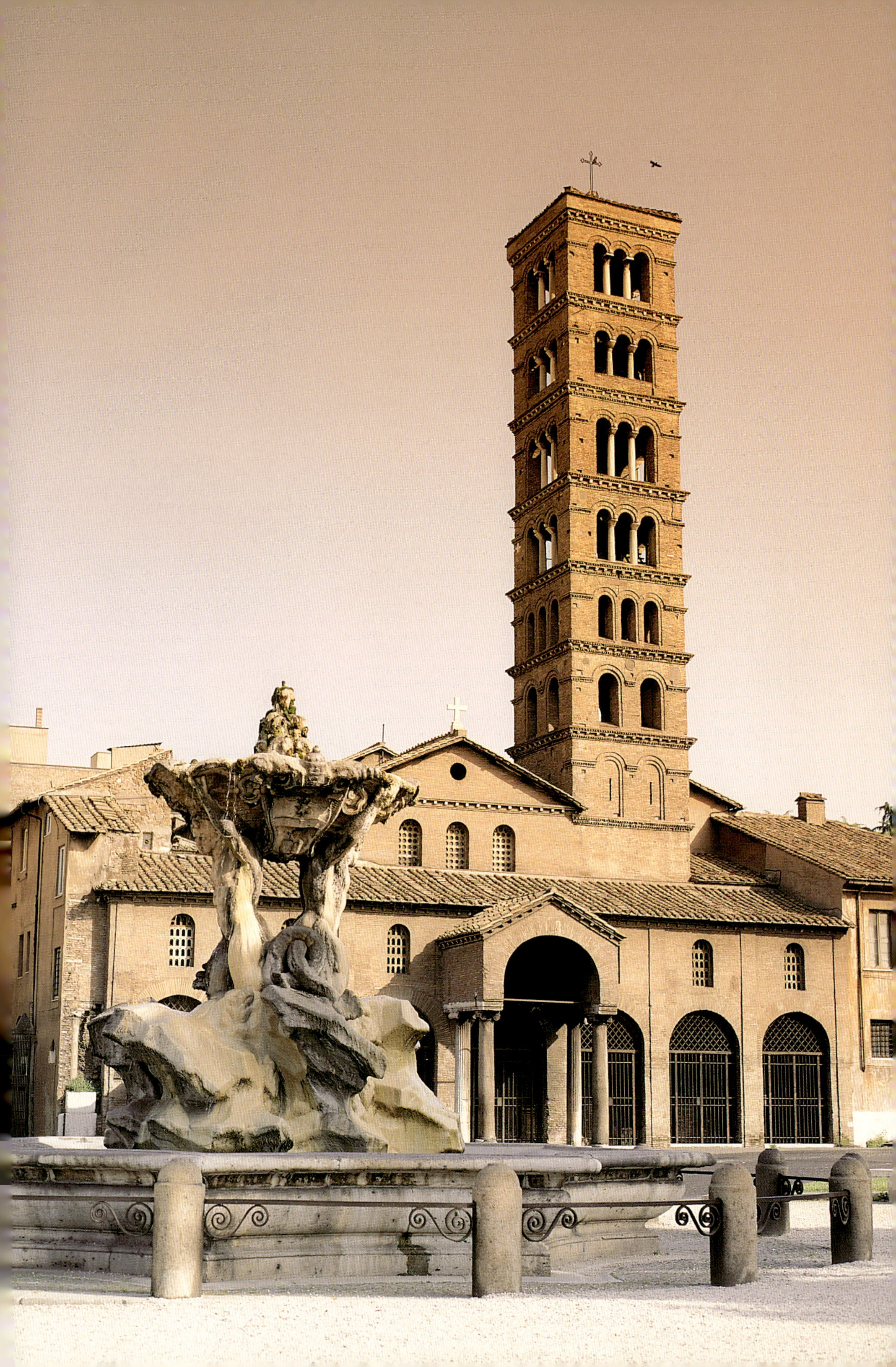

◁ Façade   Bouche de la Vérité

Santa Maria in Cosmedin

Cette église, construite au IVe siècle, fut elle aussi érigée sur un édifice romain antique. Elle tire son nom d'un mot grec qui signifie "embellir". Sous le portique à arcades, devant la façade, se trouve la très célèbre Bocca della Verità, une dalle antique qui a la forme d'un grand masque. La légende dit qu'un menteur introduisant sa main dans la fente se la verrait happée. L'église n'abrite pas de chefs-d'oeuvre particuliers mais elle contient un certain nombre d'oeuvres intéressantes : un élégant clocher roman, un pavement fastueux, un baldaquin gothique qui protège le maître-autel. A visiter également : la *Crypte*, creusée dans le tuf.

Peut-être s'agit-il d'un reste de l'autel païen de l'antiquité qui se trouvait là.

Santa Maria in Aracoeli, Façade

Santa Maria in Aracoeli

L'église fut érigée au XIVe siècle par les frères franciscains.

L'escalier de marbre, oeuvre votive pour une peste évitée, fut rajouté vers la moitié du XIVe.

C'est une église à trois nefs avec un précieux *pavement cosmatesque* et un riche *toit à caissons, en bois*, d'où se détache une représentation de la *Vierge à l'Enfant*.

L'une des images les plus aimées et les plus vénérées par les romains est conservée ici (dans le transept gauche) : la statue du Santo Bambino que la tradition dit avoir été sculptée dans le bois d'un olivier de Getsémani, et que l'on considère miraculeuse.

Les *Histoires de Saint Bernardin*, chef-d'oeuvre que Pinturicchio réalisa au XVe siècle, sont remarquables. Au dessus du maître-autel se trouve le tableau de la *Madonne à l'Enfant* (qui remonte à l'an mille environ), à laquelle est dédiée l'escalier monumental qui se trouve devant l'église.

Statue du Santo Bambino

Saint Clement, Schola Cantorum

Saint-Clément

Peu de basiliques possèdent, comme Saint Clément, dans les différents styles de ses reconstructions successives superposées, une histoire s'échelonnant ainsi sur tant de siècles. Une Basilique paléochrétienne, dédiée au troisième pape, Clément, fut construite au IVe siècle sur des constructions romaines antiques de l'époque de Domitien (que l'on peut visiter). Au début du XIIIe siècle, une nouvelle basilique fut érigée. Il s'agit de la basilique actuelle.

Elle fut érigée sur la basilique précédente qui fut découverte lors des fouilles entreprises au siècle dernier. La Basilique est précédée d'un portique à quatre arcades et d'un "pronaos". Au milieu de la nef centrale se trouve une *schola cantorum*. La *mosaïque* de l'abside est grandiose. Elle représente le *triomphe de la croix*. Les *fresques* du XVe de Masolino da Panicale qui se trouvent dans la *chapelle de Sainte Catherine* sont extrêmement précieuses. Les fresques primitives, un véritable cycle dédié à Saint Clément, et celles qui illustrent la *Légende de Sisinnius*, que l'on peut voir dans la Basilique inférieure, sont également très intéressantes.

Sant'Andrea della Valle

Cette église se distingue par sa belle coupole sur tambour octogonal, oeuvre du XVIIe siècle, de Maderno. C'est la plus haute coupole de Rome après celle de Saint-Pierre.
L'église fut érigée à la fin du XVIe par Pietro Paolo Olivieri et par Maderno lui-même. La *façade* fut en revanche exécutée par Rainaldi et Fontana, à la moitié du XVIIe.
A l'intérieur, la coupole est décorée d'une fresque de Lanfranco, *Gloire du Paradis*, et la courbe de l'abside, de trois *fresques* de Mattia Preti (1540) qui racontent le *Martyre de Saint André*.
Les deux tombes de Pie II et Pie III, de Piccolomini, viennent de Saint-Pierre.

LES ENVIRONS

Ostia Antica

Ostia Antica, vue d'ensemble

Ostia Antica

Loin de l'assourdissante grandeur métropolitaine, Rome propose, dans la tranquillité de sa campagne et parmi les pins qui annoncent la mer, des promenades splendides, dont la première elle celle qui conduit vers Ostia Antica. Port romain de l'antiquité, construit au VIe siècle avant J.C., il conserve aujourd'hui des maisons, des tavernes, des villas patriciennes, des temples et des fontaines, s'élevant au

Ostia Antica

coeur d'une végétation luxuriante et impressionnante. Les fouilles ont notamment mis à jour le Mitraeum de Felicissimo, les temples égyptiens, une Synagogue. A visiter également le riche Musée Ostiense. Des spectacles classiques célèbres sont donnés dans le beau théâtre d'Auguste. On peut arriver de Rome par le bateau qui descend le long du Tibre.

Tivoli, Villa d'Hadrien, Poecile

Tivoli, Villa d'Hadrien, Canope ▷

Tivoli

Sur les rives de l'Aniene, près de ses célèbres cascades, se trouve la petite ville de Tivoli, où la patriciens romains avaient construit des villas d'été. C'est près de Tivoli que se trouve la plus grandiose et la plus célèbre villa de l'antiquité romaine : la Villa d'Hadrien. Construite peu après l'an 100 après J.C., elle constitue un énorme complexe comprenant un 'Lycée', une 'Académie', un 'Poecile' (grand portique à quatre côtés avec une vasque centrale), un 'Canope' (vasque longue et étroite

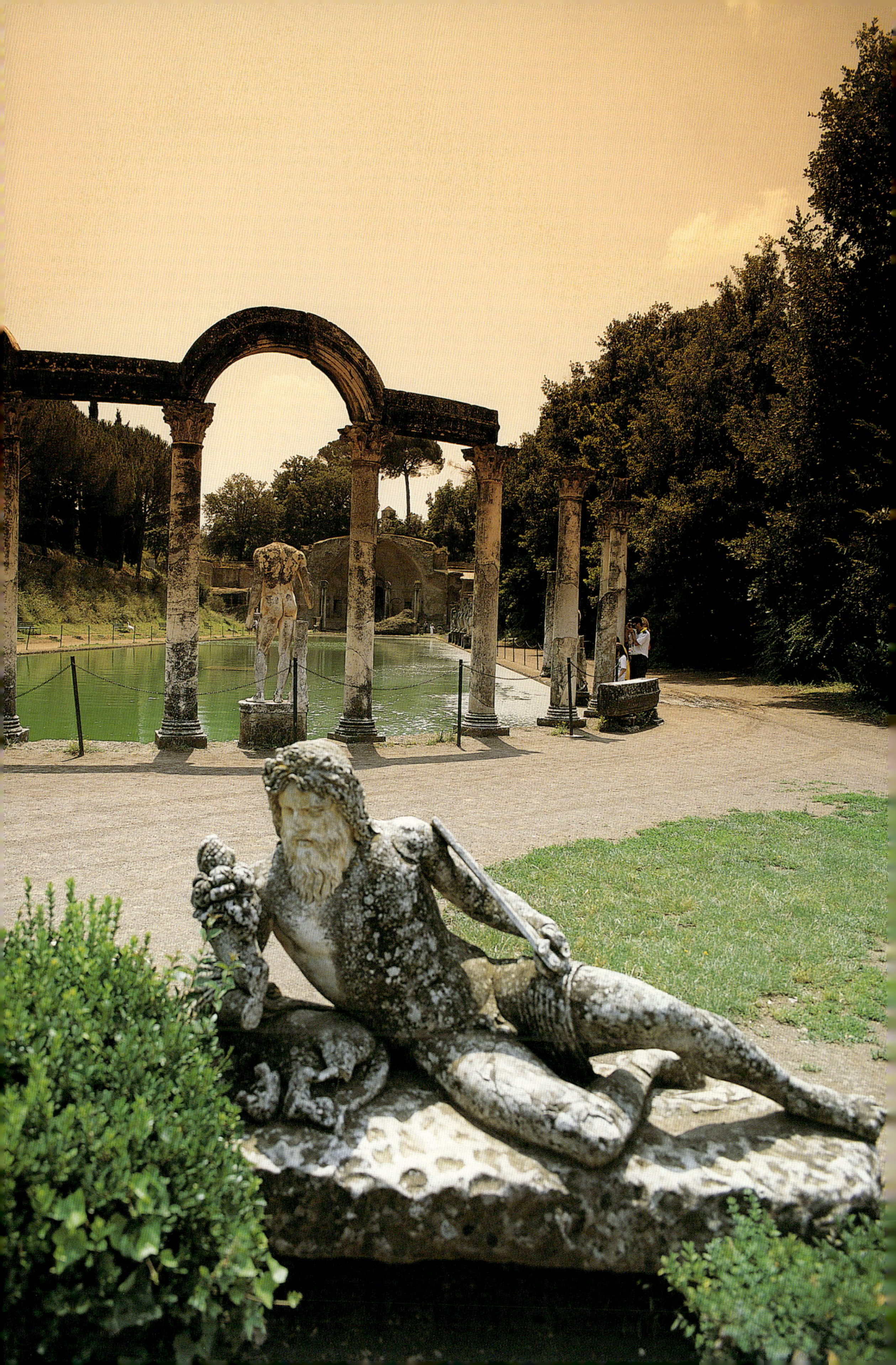

Villa d'Este, Fontaine de Neptune   Villa d'Este, les Cent Fontaines ▷

construite dans une petite vallée naturelle). La Villa d'Este et la Villa Gregoriana datent en revanche de la Renaissance. La première, construite par Pirro Ligorio en 1550 pour le cardinal Hippolyte II d'Este, est située dans un parc célèbre, égayé par de plaisantes fontaines et des petites cascades. Le paysage des célèbres Cascades de l'Aniene, situées près de la Villa Gregoriana, qui se précipitent le long d'un flanc de montagne parsemés de rochers, est particulièrement suggestif. C'est ici que Marguerite Yourcenar, grand écrivain, s'inspira pour écrire son célèbre roman *Mémoires d'Hadrien*.

148

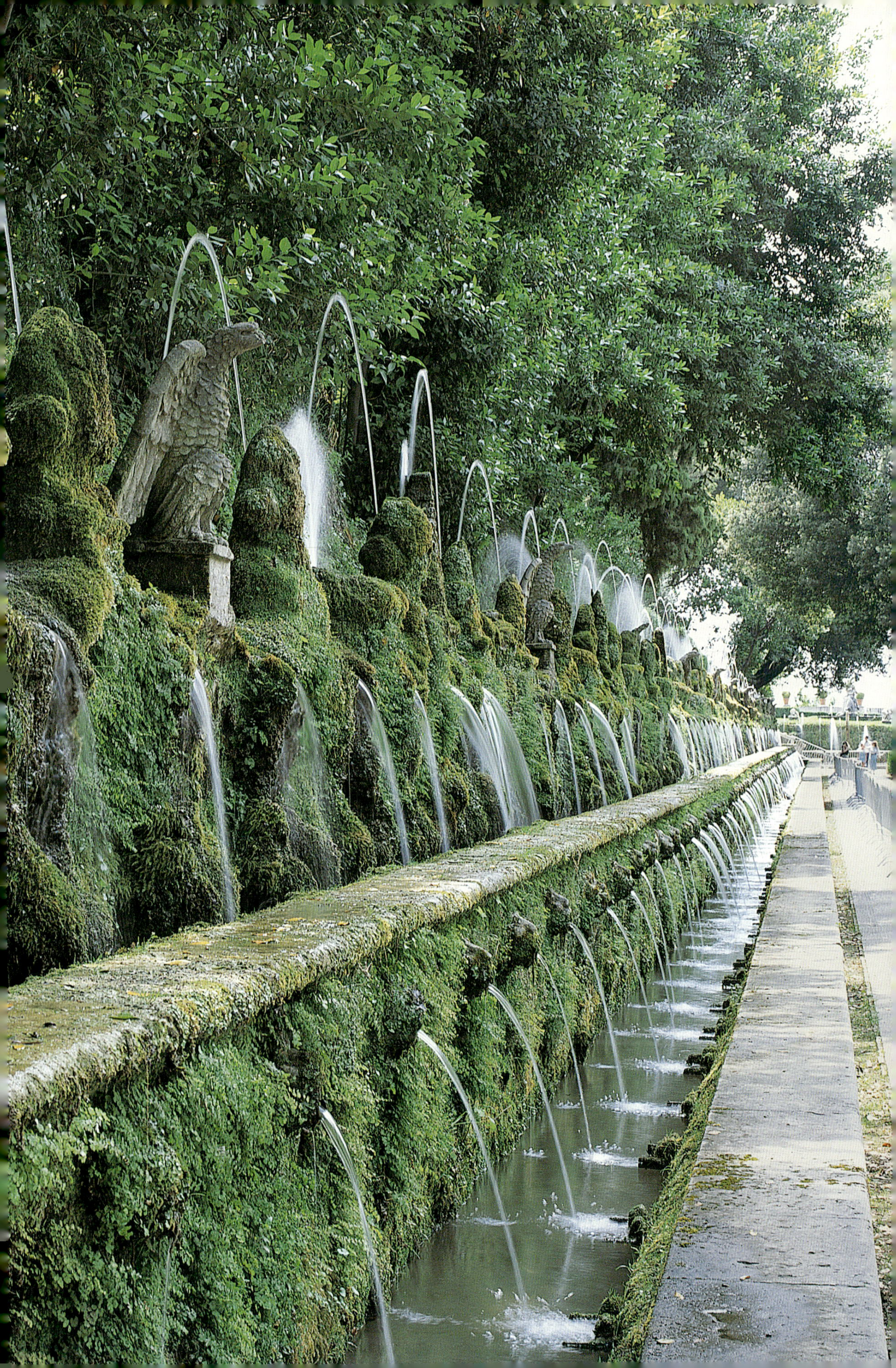

Castel Gandolfo, vue d'ensemble

Castel Gandolfo ▷

Les Castelli Romani

Les Castelli, situés au sud de Rome, sont un but traditionnel de promenade du dimanche. On y mange très bien et le vin est excellent. A visiter, à Frascati, la Villa Aldobrandini, avec son immense façade donnant sur un parc luxuriant. La Villa Falconieri – que l'on ne peut visiter que sur demande – vaut également le détour. Il n'est pas non plus inintéressant de s'arrêter quelques instants à l'Abbaye de Grottaferrata, qui remonte à l'an 1000. Une halte à Castel Gandolfo, où se trouve la résidence d'été du Pape, est également de rigueur. La visite peut se terminer dans la petite ville de Palestrina, aux ruines du mur d'enceinte et au célèbre sanctuaire romain de la déesse Fortune.

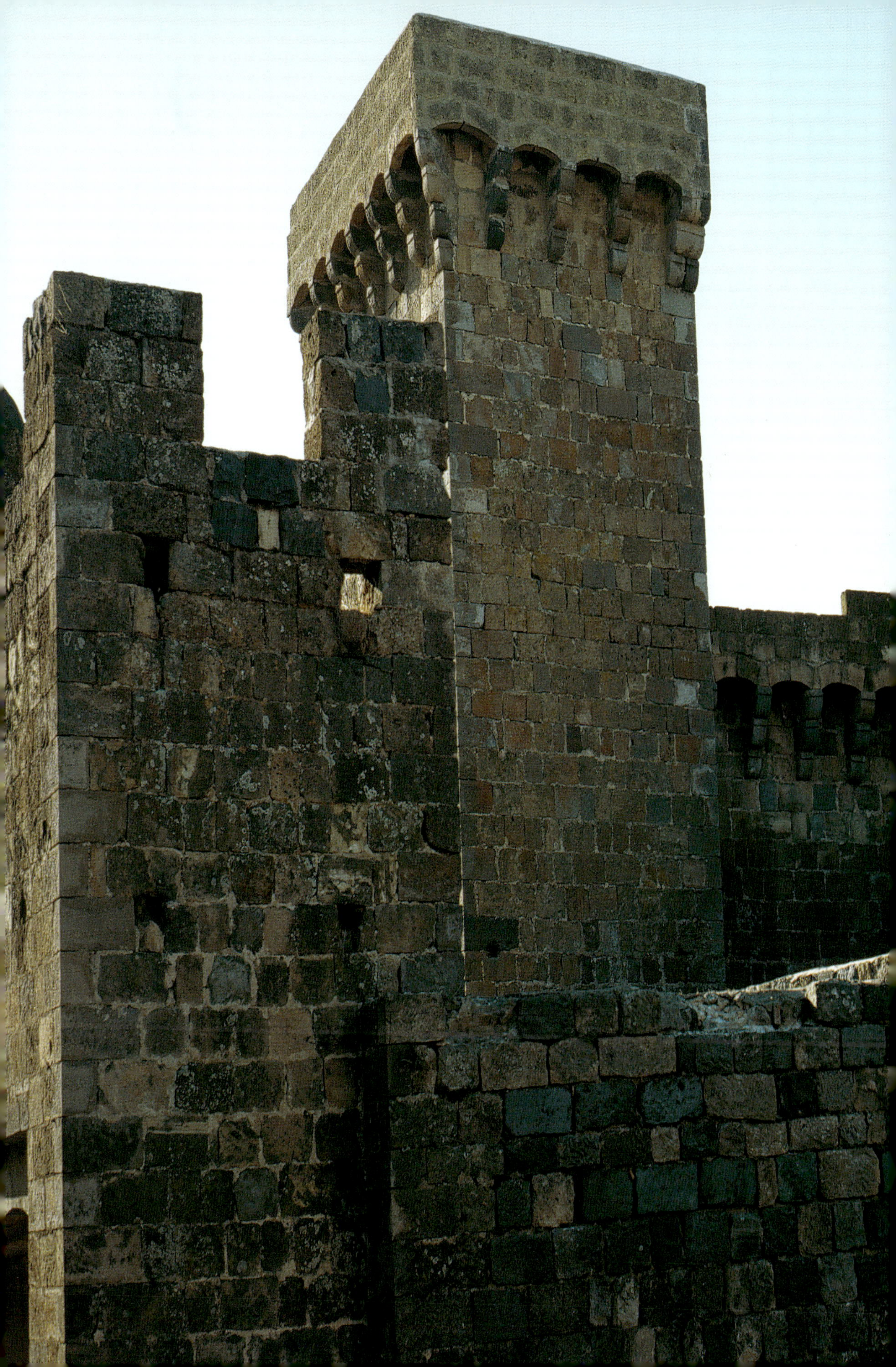

CITTA' DEL VATICANO
MUSEI VATICANI
Eliporto
Viale Vaticano
Via Porta Pertusa
V. della Zitella
Viale C. Don Bosco
Mura di Leone IV
Via dell'Osservatorio
Quadrato
P.za del Sant' Uffizio
Borgo S. Spirito
Via della Conciliazione
P.za Pia
Borgo Pio
Borgo Vittorio
Borgo Angelico
V. S. Porcari
Via Crescenzio
Piazza del Risorgimento
Viale Giulio Cesare
Viale delle Milizie
Via Cola di Rienzo
Piazza Cola di Rienzo
Via Germanico
Via degli Scipioni
Viale Angelico
Via Candia
Via Sebastiano Veniero
P.le degli Eroi
Circonvallazione Trionfale
Largo Trionfale
Via Andrea Doria
V. Famagosta
V. Barletta
V. Giovanni Bettolo
Via Bernardo Telesio
Via Tommaso Campanella
V. Passaglia
V. Labriola
V. Serafino
Rizzo
V. Ziani
V. Rialto
Via Cipro
P. S. M. d. Grazie
Via Meloria
Via Bragadin
V.D. Millelire
Via Emo
Via Leone IV
Via Vespasiano
Via Boezio
Via Virgilio
Via Plinio
Via Tacito
Via Cicerone
Via Pompeo Magno
Piazza della Libertà
P.za dei Quiriti
Via Gracchi
V. Alberico II
V. d. Bastioni
V. Vitelleschi
Piazza Cavour
PALAZZO DI GIUSTIZIA
P.za d. Tribunali
Lung. di Castello
Lungotev. Prati
Lungotevere Michelangelo
Lungotevere Marzio
Lungotevere in Augusta
Lungotevere d. Mellini
Ponte Margherita
Ponte Umberto
Ponte Cavour
P. Cossa
Via Valadier
Visconti
Belli
Pas. di Ripetta
Via di Ripetta
Piazza Augusto Imperatore
Via Tomacelli
Piazza del Popolo
Via Luisa di Savoia
V. d. Penna
V.d. Vantaggio
V. A. Canova
V. d. Frezza
P.za Nicosia
P.za F. Borghese
P.za d. Torretta
V. del Prefetti
P.za S. Lorenzo Lucina
P.za del Parlamento
Lungotev. Tor di Nona
P.za P.te S. Angelo
V. d. Curato
P.za Lancellotti
V. dei Coronari
P.za T. Sanguigna
Via della Scrofa
V. Campo Marzio
P.za d. Maddalena
PANTHEON
V. Seminario
P.za S. Eustachio
P.za della Minerva
Corso Rinascimento
Piazza Navona
P.za Pasquino
P.za d. Fico
P.za Sforza Cesarini
P.za d. Chiesa Nuova
Corso Vittorio Emanuele II
Via Giulia
Via Monserrato
Campo de' Fiori
V. d. Biscione
P.za Farnese
Via D. Giubbonari
V. M. d. Farina
P.za Argentina
L.go Arenula
Via Arenula
V. d. Portico
Lungotevere dei Tebaldi
Lungot. d. Vallati
Ponte Sisto
Ponte Garibaldi
ISOLA TIBERINA
P.te Cestio
Ponte Fabricio
P.za S. Sonnino
P.za in Piscinula
V. d. Lungaretta
P.za S. Egidio
Vic. d. Cedro
V. d. Scala
Via Garibaldi
V. di P.ta
Lungotevere della Farnesina
Via della Lungara
VILLA CORSINI
CARCERI REG. COELI
V. d. Mantellate
V. d. S. Franc. di Sales
Lungotevere Gianicolense
Lungotev. d. Sangallo
P. Pr.Am. Sav. Aosta
Lung. in Sassia
Ponte Vitt. Em. II
Pza d. Rovere
Sal. S. Onofr.
PTA CAVALLEGGERI
Via Aurelia
Via Nicolò V
Via Gregorio VII
V. d. Argilla
Vic. di Gelsomino
V. del Gallo
Via Aurelia
Via A. De Gasperi
V. d. Staz. di S. Pietro
Via Paolo II
Via delle Fornaci
Via Nuova d. Fornaci
Via Cava Aurelia
Aurelia Antica
Largo 3 Giugno 1849
P.le Aurelio
P.ta San Pancrazio
VILLA DORIA PAMPHILI
Via G. Medici
Viale XXX Aprile
Via Nicola Fabrizi
Via Calandrelli
Viale Glorioso
VILLA SCIARRA
Mura Gianicolensi
Viale delle Mura
P.za di S. Cosimato
Via L. Manara
P.za Mastai
Via della Luce
V. d. Vascellari
Via Anicia
V. di S. Michele
Lungotev. Ripa
Ponte Sublicio
Viale Trastevere
Saffi
P.za S. Pancrazio
P.za Ottavilla
Via Vitellia
Via Pamphili
MONTEVERDE VECCHIO
Via Giacinto Carini
Via del Vascello
Via Quattro Venti
V. G. Rossetti
L.go G. Berchet
Via Ugo Bassi
V. Giovagnoli
P.za R. Pilo
V. A. Colautti
V. F. Torre
Via Cavallotti
Via Poerio
Via Frat. Bandiera
Via Francesco dall'Ongaro
A. Saffi
Piazza Ipp. Nievo
V. Ipp. Nievo
Via Portuense
Innocenzo X
Fonteiana
P.za Fonteiana
Via S. Calepodio
P.le d. Quattro Venti
L.go Oriani
Via A. Cesari
A. Barrili
Felice
V. Sesto Celere
Via Pio Foà
L.go G. Bianconi
P.za Donna Olimpia
P.za Quinto Cecilio
di Villa Pamph.
Via Donna Olimpia
V. Fabiola
Falconieri
P.za Madonna delleSalette
Via P. Revoltella
Via A. Toscani
V. Corradi
V. F. Amici
Viale dei Quattro Venti
Via Alessandro
L.go G. Leti
V. Bartoli
V. Lorenzo Valla
V. Cavalcanti
Via Vincenzo Monti
Viale Trastevere
L.go A. Toja
V. F. Rosazza
E. Rolli
Bolognese
Piazza Ponte Testaccio
d. Castel
Via P. Castaldi
L.go G. B. Marzi
Ponte Testaccio
MATTATOIO
Lungotevere Testaccio
P.za d. Emporio
P.za S. M. Liberatr.
V. A. Vespucci
V. G. Branca
V. Vanvitelli
P.za Testaccio
V. G. Bodoni
Via Aldo Manuzio
Via Galvani
Via della Marmorata
MONTE TESTACCIO
Via Caio Cestio
V. d. Campov. Boario
V. G. da Empoli
P.za S. Alessio
P.za S. Anselmo

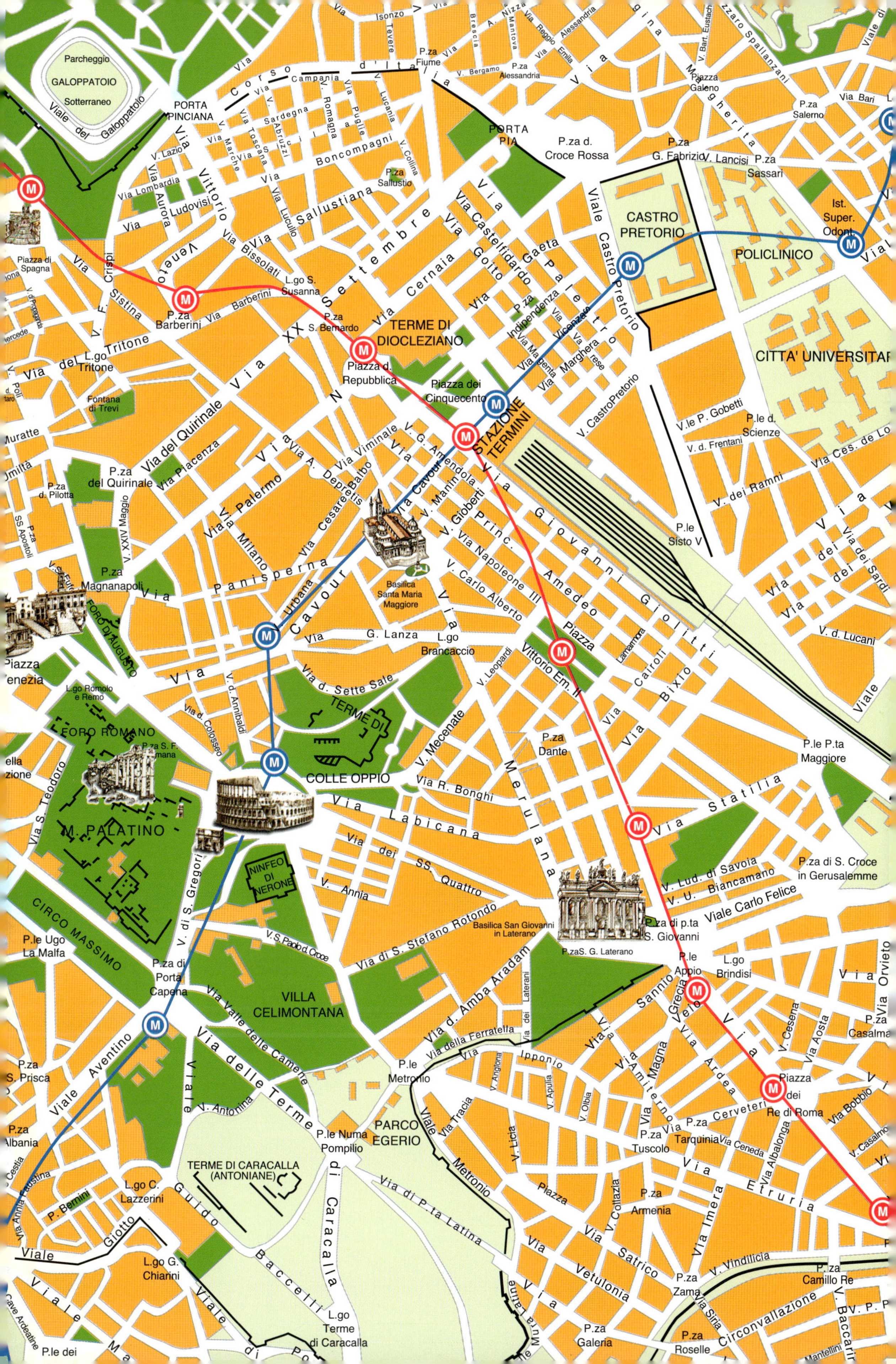

La Cité du Vatican

1. Porte de Bronze
2. Arc des Cloches
3. Porta san Pietro
4. Tour de Nicolas V
5. Palais de Sixte-Quint
6. Palazzo di Gregorio XIII
7. Palais Médiéval
8. Tour Borgia
9. Chapelle Sixtine
10. Couloir du Ligorio
11. Biblioteque Apostolique Vaticane
12. Cour de la Bibliothèque
13. Aile Neuve
14. Tour des Vents
15. Couloir du Bramante
16. Grande Piche de la Pigne
17. Fontaine de la Galère
18. Escaliere du Bramante
19. Le Belvédère
20. Musée Pio-Clèmentin
21. Le Quatre Grilles
22. Entrée des Musées du Vatican
23. Pinacotheque
24. Musées Grtegorien d'Art Profane, Pio-Chrétien et Missionnaire Ethnologique
25. Musée des Carrosses
26. Il Passetto
27. Porte de Sainte Anne
28. Eglise de Sainte Anne des Palefreniers
29. Cour de la Garde Suisse
30. Imprimerie Polyglotte Vaticane
31. Atelier de restauration des tapisserie
32. Eglise de Saint-Peregrin
33. Osservatoro Romano
34. Poste Centrale
35. Palais du Belvédère
36. Palais du Four
37. Fontaine du Sacrement
38. Pavillon de Pio IV
39. Académie Pontificale des Sciences
40. Maison du Jardinier
41. Fontaine de l'Aquilon
42. Tour de l'Eleveur
43. Direction de Radio Vatican
44. Périmètre de la Cité Léonine
45. Grotte de Lourdes
46. Tour de Saint-Jean
47. Centre de Trasmission Marconi
48. Collège Ethiopien
49. Palais du Gouverneur
50. Gare
51. Atelier de la Mosaïque
52. Eglise Santo Stefano degli Abissini
53. Palais du Tribunal
54. Palais de l'Archiprêtre
55. Palais Saint-Charles
56. Place Sainte-Marthe
57. Hospice Sainte-Marthe
58. Palais du Presbytère et Sacristie de Saint-Pierre
59. Place des Premiers Martyrs de Rome
60. Collège Teutonique
61. Salle des Audiences Pontificales
62. Palais du Saint-Office
63. Eglise du Saint-Sauveur au Terrione

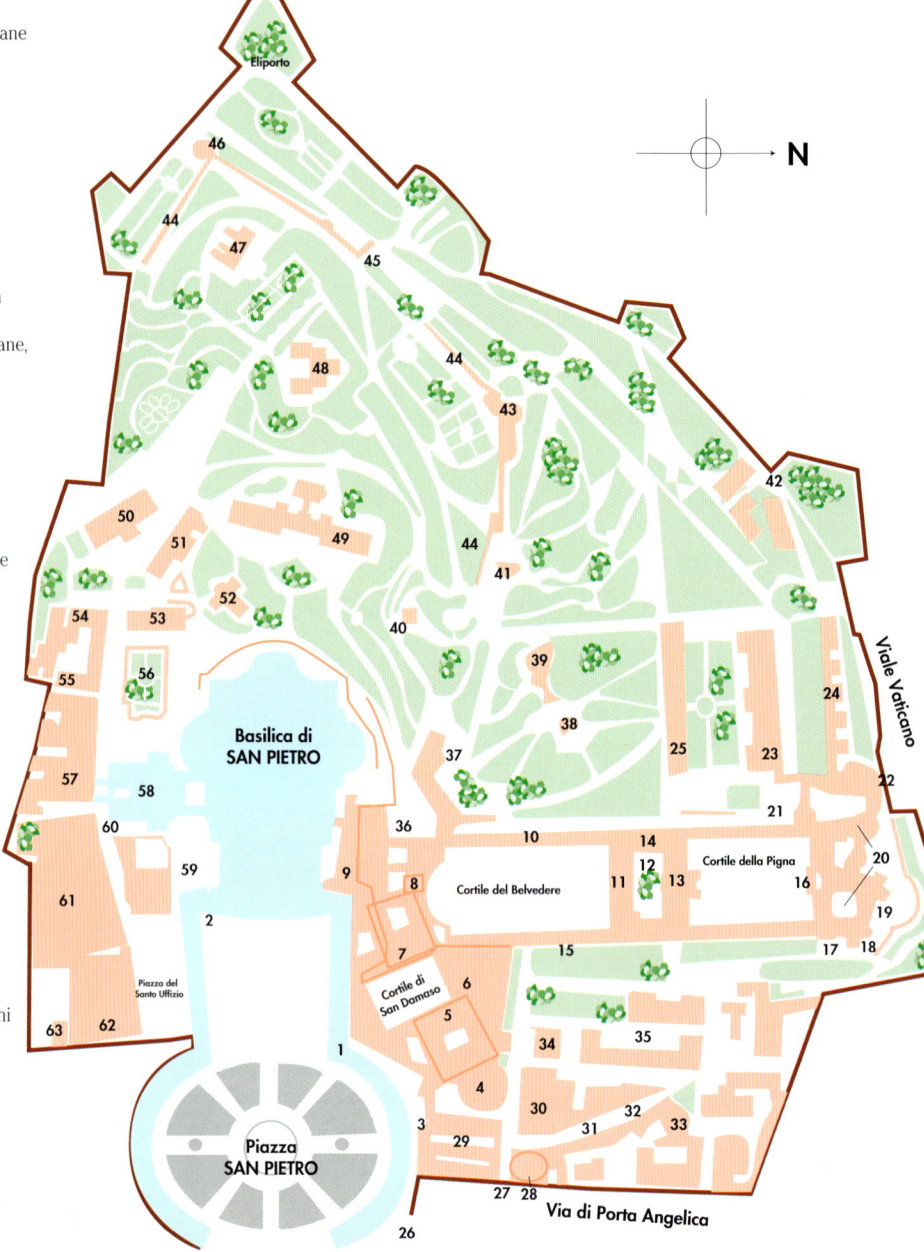

Plan de la basilique Saint-Pierre

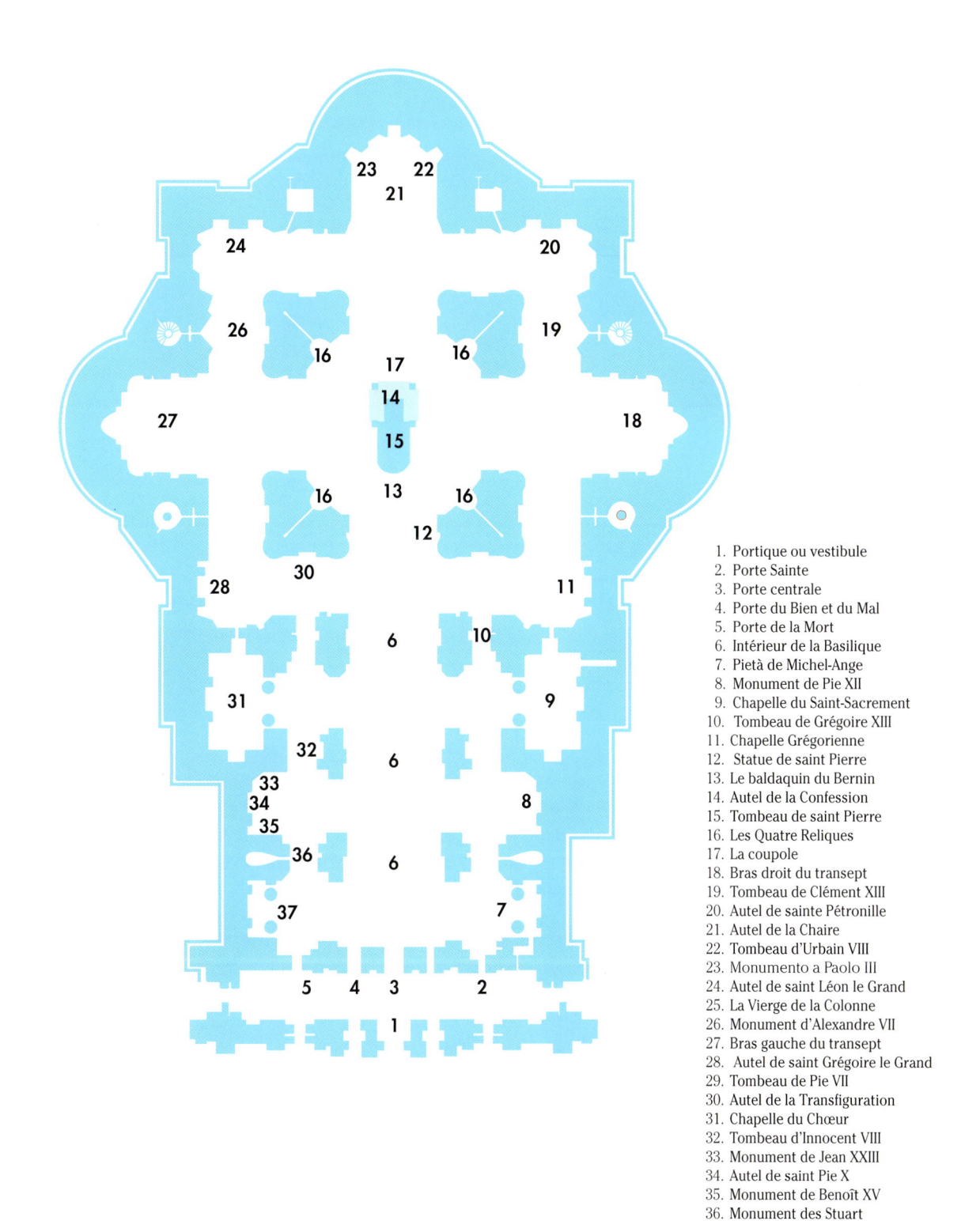

1. Portique ou vestibule
2. Porte Sainte
3. Porte centrale
4. Porte du Bien et du Mal
5. Porte de la Mort
6. Intérieur de la Basilique
7. Pietà de Michel-Ange
8. Monument de Pie XII
9. Chapelle du Saint-Sacrement
10. Tombeau de Grégoire XIII
11. Chapelle Grégorienne
12. Statue de saint Pierre
13. Le baldaquin du Bernin
14. Autel de la Confession
15. Tombeau de saint Pierre
16. Les Quatre Reliques
17. La coupole
18. Bras droit du transept
19. Tombeau de Clément XIII
20. Autel de sainte Pétronille
21. Autel de la Chaire
22. Tombeau d'Urbain VIII
23. Monumento a Paolo III
24. Autel de saint Léon le Grand
25. La Vierge de la Colonne
26. Monument d'Alexandre VII
27. Bras gauche du transept
28. Autel de saint Grégoire le Grand
29. Tombeau de Pie VII
30. Autel de la Transfiguration
31. Chapelle du Chœur
32. Tombeau d'Innocent VIII
33. Monument de Jean XXIII
34. Autel de saint Pie X
35. Monument de Benoît XV
36. Monument des Stuart
37. Chapelle du Baptistère

HISTOIRE DE LA VILLE .... page 5

FORUMS .... page 8
   Le Forum Romain .... page 9
LE COLISÉE POUR LA GLOIRE DE L'EMPEREUR ET LE PLAISIE DU PEUPLE .... page 17
   Forums Impériaux .... page 18
LA COLONNA TRAJANA COMME DANS UN FILM, LES GLOIRES DE LA ROME ANTIQUE .... page 21
ARCS DE TRIOMPHE DE CONSTANTIN, SEPTIME- SÉVÈRE ET TITUS QUAND L'EMPEREUR CELEBRAIT SES TRIOMPHES... page 22
RUES ETPLACES CÉLÈBRES .... page 26

   Place d'Espagne et Trinité des Monts .... page 28
   Piazza del Popolo .... page 30
   Piazza Navona .... page 32

LES OBÉLISQUES SIMBOLES DU SOLEIL ET DE L'IMMORTALITE	page	34
Le Panthéon	page	37
Via Condotti et Via Veneto	page	38
LES FONTAINES DE ROME L'EAU EGAIE LES PLACES ET JARDINS	page	40
LES PONTS SUR LE TIBRE ET LE CHÂTEAU SAINT-ANGE	page	48
L'ÎLE DU TIBRE	page	52
LES MUSEÉES	page	54
Les Musées Capitolins	page	55
Musée National Romain	page	58
Musée National de la Villa Giulia	page	59
Autres Musées	page	59
LES GRANDES BIBLIOTÈQUES TROIS MILLE ANS DE MOTS	page	60

PARMI LES PALAIS ET LES GALERIES	page	62
La Galeria Borghese	page	63
Galerie Doria Pamphilj	page	69
Palazzo Barberini	page	73
Galeria Spada	page	73
Palazzo Venezia	page	74
Palazzo Farnèse	page	74
VIA APPIA ANTICA	page	75
LES CATACOMBES ROMAINES	page	79
LA CITÉ DU VATICAN	page	87

Place Saint Pierre	page	89
La Basilique Saint-Pierre	page	90
L'intérieur de la Basilique	page	93
LES MUSÉES DU VATICAN	page	97
Les Chambres de Raphaël	page	104
LA RESTAURATION DES FRESQUES DE LA CHAPELLE SIXTINE	page	105

La Chapelle Sixtine	page	113
....et la visite continue	page	119

ÉGLISES ET BASILIQUES .... page 120

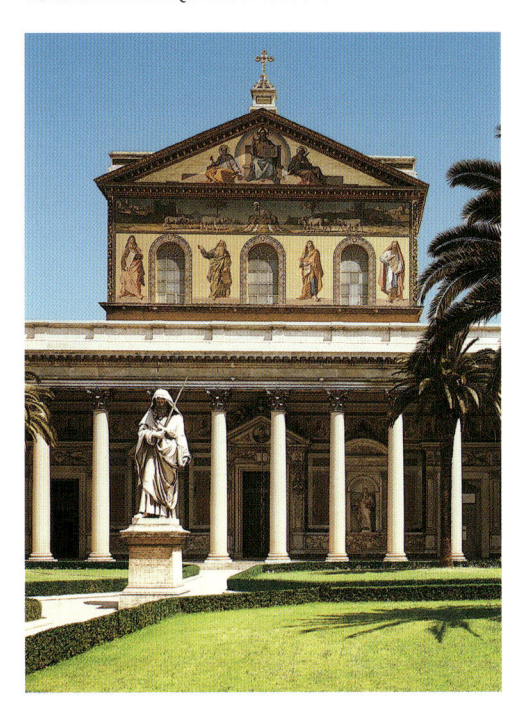

   Saint-Jean-de-Latran .... page 121
   Sainte-Marie-Majeure .... page 124
   Sainte-Paul-Hors-les-Murs .... page 128
   Saint-Pierre-aux-liens .... page 132
   Santa Maria in Trastevere .... page 134
   Santa Maria in Cosmedin... page 139
   Santa Maria in Aracoeli .... page 140
   Saint-Clément .... page 141
   Sant'Andrea della Valle .... page 141
LES ENVIRONS... page 142

   Ostia Antica .... page 143
   Tivoli .... page 146
   Les Castelli Romani .... page 150
ROME, plan... page 152
CITÉ DU VATICAN, plan .... page 154

159

Copyright 1998
Edizioni Musei Vaticani
Ats Italia Editrice srl

Ce volume a été réalisé par :
Ats Italia Editrice srl
Via di Brava, 41-43 - 00163 Roma
tel. 0666415961 · fax 0666512461
www.atsitalia.it

Texte
Pier Francesco Listri tiré du volume
"Venese Florence Naples Rome et la Cité du Vatican"
édité par Ats Italia Editrice - Editrice Giusti - Kina Italia

Le texte "Les catacombes romaines" (pp. 79 et 82)
par le frère Arno

Rédaction et coordination technique
Frida Giannini
Projet graphique, mise en page et couverture
Ats Italia Editrice (Sabrina Moroni - Roberta Belli)
Photolithographie
Ats Italia Editrice
Impression
Kina Italia / L.E.G.O. spa - Italy
Photographie
Archivio Ats Italia Editrice
(G. Cozzi - M. Borchi - D. Busi - F. Borra - G. Bocchieri - M. Cirilli - M. Grassi
L. Giordano - M. Amantini - A. Regoli - G. Galazka - C. Tini - L. Marinelli)
Archivio Fotografico della Fabbrica di San Pietro
Archivio Fotografico Musei Vaticani
Archivio Scala
K&B News Foto - Buonafede

L'éditeur se tient à la disposition de ceux qui possèdent des droits
concernant les sources iconographiques qui n'ont pas été identifiées.